DATE DUE			
Apr 5 '76			

RUIZ DE ALARCON

CLÁSICOS CASTELLANOS

RUIZ DE ALARCÓN

TEATRO

TERCERA EDICIÓN

PRÓLOGO Y NOTAS DE ALFONSO REYES

ESPASA-CALPE, S. A.

MADRID

1937

ES PROPIEDAD
Madrid, 1937
Published in Spain

TALLERES ESPASA-CALPE, S. A., Ríos Rosas, 26. — MADRID

PRÓLOGO

I

BIOGRAFÍA DE RUIZ DE ALARCÓN

(1581?-4 de agosto de 1639)

Sus padres fueron Pedro Ruiz de Alarcón —hijo de García Ruiz y de doña María de Valencia— y doña Leonor de Mendoza —hija de Hernando de Mendoza y de María de Mendoza—. Nace en Méjico, capital de la Nueva España, donde estudia Artes y prepara el bachillerato en Cánones (1). Sale para España en la flota de Juan Gutiérrez de Garibay, año de 1600, y llega a Sevilla a mediados de agosto (2).

El 25 de octubre de 1600 es bachiller en Cánones por Salamanca, y el 3 de diciembre de 1602, bachiller en Leyes. El veinticuatro de Sevilla Gaspar Ruiz de Montoya, su pariente, le fija una pensión de mil seiscientos cincuenta reales al año para auxiliar sus estu-

---

(1) Hizo en Méjico la probanza de diez lecciones, y no en Salamanca, como suponía L. Fernández-Guerra. Acabó en Méjico cuatro cursos de Cánones y parte del quinto, que completó en Salamanca.

(2) No por mayo de 1600, flota de Francisco Coloma, como lo creyó Luis Fernández-Guerra.

dios. En 1606 se encuentra en Sevilla (1), donde ejerce como abogado, aunque sin el título, según lo tolera la costumbre (2). Intenta salir para las Indias (1607) en la servidumbre de fray Pedro Godínez Maldonado, Obispo de Nueva Cáceres, en Filipinas; pero se suspende el viaje de la flota, solicitados algunos barcos mercantes para combatir con el holandés (3). En 12 de junio de 1608 sale Alarcón para la Nueva España, acompañado de su criado Lorenzo Morales, flota al mando del General don Lope Díez de Aux y Almendáriz, que consta de unos sesenta a setenta navíos. La flota llegó a San Juan de Ulúa el 19 de agosto (4). Observa Icaza que en esta flota iba el Arzobispo de Méjico, y después Virrey, fray García Guerra, en cuyo séquito pudo hacer el viaje Alarcón, ya que en el del otro Prelado no pudo ser (5).

En 21 de febrero de 1609 recibe Alarcón el grado de Licenciado en Leyes por la Universidad de Méjico. Y al mes siguiente se le dispensó la pompa, por causa de pobreza, para recibir el grado de Doctor, que no

---

(1) Está desechada la hipótesis de las relaciones de Alarcón y Cervantes en Sevilla.

(2) "Ya los hidalgos se llaman caballeros; los estudiantes, nciados..." Quevedo, Rivadeneyra, XXIII, 435-436.

(3) F. Rodríguez Marín, *Nuevos datos para la biografía de don Juan Ruiz de Alarcón*. Madrid, 1912-13. Idem, *Discurso académico sobre Mateo Alemán*, 2.ª ed., Sevilla, pág. 38.

(4) Mateo Alemán, *Suceso de fray García Guerra* (Méjico, 1613), *Revue Hispanique*, 1911.—Luis Cabrera, *Relaciones... 1599-1614*, Madrid, 1857, pág. 342.—Bartolomé de Góngora, *El Corregidor Sagaz*, ms. núm. 17.493. Bibl. Nac. de Madrid, fol. 40 vto.—Iba Alarcón en la nao maestre *Diego Garcés*, y Alemán en la *Tomé García;* no hubo, pues, los amenos coloquios a bordo que imaginara L. F.-G. Tampoco salió la flota el 31 de marzo de 1608.

(5) F. A. de Icaza, "Mateo Alemán, su historia y sus escritos..." *Revista de Libros*, Madrid, 1 junio 1913.

llegó a obtener, sin embargo. Se opuso después, sucesivamente, a las cátedras de Instituta, Decreto y Código de la Universidad de Méjico, entre 1609 y 1613, y ni fué aprobado en todas —contra lo que deja entender el informe que sobre él presentó al Rey el Consejo de Indias, 1.º de julio de 1625—, ni, en todo caso, logró ganar cátedra alguna. Abogado de la Real Audiencia de Méjico, habría llegado a Teniente de Corregidor de aquella ciudad, según la citada consulta del Consejo de Indias; pero a esto opone Rangel una prueba negativa (1). No sabemos cuándo se trasladó a España por segunda vez. En 1613 aun aparece en Méjico; en 1615 se encuentra ya en la Península.

Vino, según lo da a entender en la dedicatoria de su *Parte primera* (Madrid, 1628), a pretender a la Corte, y entró en la vida literaria ruidosamente. Se mantuvo alejado de Lope y fué amigo, y tal vez colaborador, de Tirso de Molina. Su figura de corcovado hace de él blanco de las sátiras. Protegido por don Ramiro Núñez Felípez de Guzmán (2), yerno del Conde-Duque de Olivares, y acaso también por su pariente y homónimo el señor de Buenache y de la Frontera, va abandonando la vida literaria, y obtiene plaza de Relator interino en el Consejo de Indias (17 de julio de 1626), que luego se transforma en titular (13 de junio de 1633). Por los documentos que en su *Bibliografía Madrileña* publica Pérez Pastor, parece que de tiempo atrás venía dedi-

---

(1) *Bolet. de la Bibl. Nacional de México*, diciembre de 1915, pág. 50: "Habiendo registrado minuciosa y cuidadosamente las Actas de Cabildo del Ayuntamiento de la ciudad de México, desde el año de 1603 hasta el de 1613... no encontramos mencionado para nada el nombre de Alarcón, ni como teniente de corregidor, ni como corregidor, ni siquiera como letrado de la ciudad..." Véase también págs. 56 y sigts.

(2) Véase sobre éste: Lope, edic. académica, I, 695 y sigts.

cándose a negocios mercantiles. En 1636 Fabio Franchi
pide a Apolo que haga buscar por toda la tierra a Ruiz
de Alarcón y le exhorte a no olvidar el Parnaso por
América, ni la ambrosía por el chocolate (1). Hacia el
fin de sus años vivía con cierta holgura en la calle de
las Urosas; tenía coche, criados y dinero para sus amigos (2). "Ya ni por capricho —comenta Fernández Guerra— visitaban las musas un solo día el aposento de
la calle de las Urosas" (3). No es posible creerlo: las
letras fueron la verdadera alegría de su vida. Amigo
de la sociedad y la buena conversación, como lo revela
su teatro, siempre encontró que la sociedad le cerraba
sus puertas, castigando en él errores de la naturaleza.
Del mundo agresivo, de la mendicidad literaria, se ale-
ja en cuanto puede. Acaso —y esto es lo mejor— no
le contentaban del todo los gustos de su tiempo.

Tuvo de doña Angela Cervantes una hija natural,
llamada Lorenza de Alarcón. Nada sabemos más de
este hogar.

Yace Alarcón en la parroquia de San Sebastián. Pellicer, entre bufonadas frías, nos anuncia en sus *Avisos
históricos* la muerte del poeta: "Murió don Juan de
Alarcón, poeta famoso, así por sus comedias como por
sus corcovas..."

---

(1) *Essequie poetiche* a la muerte de Lope.
(2) Véase su testamento en los apéndices.
(3) *Don Juan Ruiz de Alarcón y Mendoza*. Madrid, 1871,
página 451.

II

SU FIGURA

Vienen reproduciendo los libros cierto retrato de Alarcón, que se conserva en la iglesia parroquial de Tasco, ciudad meridional de Méjico, donde residía su familia. Fernández-Guerra lo suponía pintado hacia 1628, sobre una cabeza de 1609 a 1611, aunque con un cuerpo gigantesco, inventado por el pintor. Lo cierto es que la cartela del retrato está dibujada en el gusto del siglo XVIII. Además, Rangel ha robustecido con documentos la probabilidad de que el retrato sea una invención de este siglo. (*Boletín de la Biblioteca Nacional de Méjico*, noviembre de 1915, págs. 2 y sigts.) No hay, pues, hasta ahora, iconografía auténtica de Ruiz de Alarcón, y en los retratos literarios que de él conservamos debe descontarse siempre un elemento de exageración satírica. En lo que sátiras y documentos oficiales concuerdan es en la corta estatura de Alarcón. Sus corcovas son ya proverbiales, pero los testigos de informaciones se abstienen, por urbanidad, de aludirlas.

Ante todo, y según las coplas burlescas que le dirigieron, era corcovado de pecho y espalda. Era barbitaheño, o de barba bermeja, y tenía una señal de herida en el pulgar de la mano derecha. (Francisco Rodríguez Marín, *Nuevos datos*, 12; información de 23 de mayo de 1607.)

Los contemporáneos, según alusiones más o menos vagas, recogidas por Fernández-Guerra, lo comparaban, por su aspecto, a una mona. Véase cómo hablan de su figura:

Entre los "Cuentos que notó don Juan de Arguijo" (A. Paz y Melia, *Sales españolas*, II, 136) se le alude

así: "Hay en Madrid un hombrecito muy pequeño, con
dos corcovas iguales, llamado don Juan de Alarcón,
agudo y de buenos dichos. Díjole Luis Vélez que parecía colchado con melones, y que cuando lo veía de lejos
no sabía si iba o si venía."

El Regidor Juan Fernández —el denostado por Villamediana y cantado por Tirso en *La Huerta de Juan
Fernández*— hizo esta quintilla:

> Tanto de corcova atrás
> y adelante, Alarcón, tienes,
> que saber es por demás
> de dónde te corco-vienes
> o adónde te corvo-vas (1).

Góngora le habla de "la que, adelante y atrás—gé-
mina concha te viste". Don Antonio de Mendoza le llama
"zambo de los poetas" y "sátiro de las musas". Montalván lo describe como "Un hombre que de embrión
—parece que no ha salido". Quevedo le llama "Don Ta-
legas—por una y otra parte". Tirso, "Don Cohombro
de Alarcón,—un poeta entre dos platos". Salas Barbadillo le dice "que él tiene para rodar—una bola en
cada lado". Fray Juan de Centeno, "En el cascarón
metido—el señor bola-matriz". Don Alonso Pérez Mari-
no, "Baúl-poeta,—semienano o semidiablo". Finalmente, Luis Vélez de Guevara le dice: "... Por más que te
empines,—camello enano con loba,—es de Soplillo tu
trova" (2). Acaso lo alude Quevedo en el *Sueño de las*

---

(1) *Poesías varias recogidas por Josef Alfay*, Zaragoza,
1654, pág. 77.

(2) *Poesías varias*, Alfay, pág. 38. Al reproducirse esta décima en la colección Rivad., vol. XX, pág. XXXIII *a*, y vol. LII,
pág. 587 *a*, se ha escrito "soplillo" con minúscula. Lo escribo con
mayúscula para conservar el equívoco probable; creo que se
alude a Miguel Soplillo, enano de la Reina y sucesor del célebre

calaveras: "Un abogado... que tenía todos los derechos con corcovas." Quevedo, además, escribió una letrilla, en que le llama: "Corcovilla, poeta juanetes, hombre formado de paréntesis, tentación de San Antonio, licenciado orejoncito, no nada entre dos corcovas, zancadilla por el haz y el envés", y otras diabluras (1). En unas seguidillas de la época, con quevedesca complicación, se le llama "profecía de Jerónimo Bosque" (2), y se le hace decir:

> A ningún corcovado
> daré ventaja,
> que una traigo en el pecho
> y otra en la espalda.
>
> ....

Simón Bonamí (recordado éste por Góngora y por Suárez de Figueroa), que figuró en la representación de *La gloria de Niquea*, Aranjuez, 1622.—V. Villamediana, *Obras*, Zaragoza, 1629, pág. 22, y *El Fénix Castellano*, D. *Antonio de Mendoza*, Lisboa, 1690, pág. 435. Además, sobre Soplillo, véase J. O. Picón, *Vida y obras de Don Diego Velázquez*, 1899, apénd., pág. 182, documento sobre que la ropa de merced que se dé a Soplillo ha de ser "a su medida". El lector puede ver en el Museo del Prado (núm. 1234, *Felipe IV y el enano Soplillo*, por Villandrando) el monstruo con quien comparaban a Alarcón. También lo cita Góngora en sus redondillas "Quisiera, roma infeliz":

> "Soplillo, aunque tan enano,
> no cabrá en vuestra avellana."

Véase además P. Beroqui, "Adiciones y correcciones al Catálogo del Museo del Prado." *Bolet. de la Sociedad Castellana de Excursiones*, 1915, XIII, 146 *a*.

(1)   Rivad., XX, pág. XXXI *b*. Sin embargo, el mismo Quevedo ha dicho que a los "enanos, agigantados, contrahechos, calvos, corcovados, zambos y otros... fuera inhumanidad y mal uso de razón censurar ni vituperar, pues no adquirieron ni compraron su deformidad". Rivadeneyra, XXIII, 460 *a*.

(2)   Rivad., XX, pág. XXXIV *a*.

> Encontróme un amigo;
>   dijo: "No veo
> si de espaldas viene,
>   o si de pechos".

Lope, en la dedicatoria de *Los Españoles en Flandes* (Parte XIII de sus Comedias, 1620), piensa en él, y escribe de los poetas ranas en la figura y en el estrépito, aludiendo injuriosamente a las gibas de Alarcón (1). Y "Juanico", como él, se llama el personaje de *Los Corcovados*, entremés satírico que salió por aquellos años.

Suárez de Figueroa, en una de sus solapadas alusiones (*Pasajero*, alivio II), lo describe como de estatura mínima, muy velloso y con espesas barbicas, vistiendo "traje y atavío de caballerete, seda, cabestrillo, sortijuelas y cosas así", afectando actitudes de galán, entre quienes "es recibido... no estar con las piernas juntas, sino algo divididas por el brío y gallardía de que así participa el cuerpo"; aunque —según él— más lo hacía Alarcón por defecto que por uso (2); reuniéndose en su casa a jugar con una "escuadra de su metal, caballeros al vuelo o entre renglones", maldiciéndose cuando perdía, y excediendo al más riguroso garitero cuando daba los naipes. "Y entre sus amigos —añade— todo era mofarse, todo escarnecerle, todo gestearle, pasando muy buenos ratos con su figura." No es éste —ya se

---

(1) En el *Laurel de Apolo* (1630) declara que Alarcón es "La máxima cumplida —de lo que puede la virtud unida". Más parece pulla que elogio. Compárese con estas palabras de Suárez de Figueroa. "Importa excluir de públicos oficios a sujetos menores de marca, hombrecillos pequeños, sin que sobre el brocárdico del filósofo: *La virtud unida es más fuerte que la dilatada*".

(2) Al mismo defecto o mal de Alarcón parece aludir Lope. *Obras*, edic. académica, I, 640, carta núm. 122.

ve— un retrato desinteresado y objetivo; ni podía esperarse de Suárez de Figueroa —aquella triste alma.

Pero no cabe duda que la figura de Alarcón era bastante grotesca. En una *Carta a don Diego Astudillo Carrillo* (1), donde se describe cierta fiesta de San Juan de Alfarache (4 de julio de 1606), a que concurrió Alarcón, consta que era éste de menos que mediana estatura y que, para aumentar la risa, "prosiguiendo ridículos sujetos, mostró su persona". Para el torneo de máscara con que acabó la fiesta, Alarcón se llamó *Don Floripando Talludo, príncipe de la Chunga* (2).

Años más tarde, en carta que parece escrita al Duque de Sessa, dice Lope de Vega: "Hallé a la señora doña Jacinta de Morales, madrina, como un ángel, y a su padre con la niña, que parecía el santo Simeón, tan envuelto como ella en las mantillas; y como no descubría más de la cabeza, parecía a don Juan de Alarcón cuando va al estribo de algún coche" (3).

Parece cosa cierta que su deformidad le impidió algunos aumentos. Fernández-Guerra conjetura (pág. 132) que ella pudo contribuir a que no obtuviera las cátedras a que se opuso en Méjico. Se lee en la ya citada consulta del Consejo de Indias (1.º de julio de 1625) que, "aunque por sus partes era merecedor de que [el Consejo] le propusiese a V. M. para una plaza de asiento de las Audiencias menores, lo ha dejado de hacer por el defecto corporal que tiene, *el cual es grande para la autoridad que ha menester representar en cosa semejante*". Ya en cierto soneto de 1631 se le representa disputando con un alabardero, que no le deja entrar a

---

(1) Rivad., XX, pág. XXVIII.

(2) Véase L. F.-G., pág. 32 y sigts., teniendo en cuenta que ya nadie atribuye dicha carta a Cervantes.

(3) *Obras*, edic. académica, I, 653 *b*. El autógrafo se conserva en la Academia de la Historia.

la Plaza de Toros al lado del Consejo, por no convencerse de que "cosa tan chica" pueda ser nada menos que Relator (1). Y ya decía Suárez de Figueroa, desde 1617, que "en todas las ciudades de Europa parece se desvelan en colocar en tales cargos las personas de más sabiduría, de más crédito y providencia, cuyas expertas canas, cuyo venerable aspecto, provoca en cuantos los miran estimación, respeto y decoro". Y añade, aludiendo acaso al ya pretendiente Alarcón: "Por ningún caso se deberían recebir para puestos semejantes, particularmente en las Cortes, hombres pequeños..." Cuenta después cómo Felipe II hubo de remover a un Corregidor de Málaga que, aunque sabio y discreto, daba risa "verle tan chico y juntamente tan bullicioso"; y concluye: "Síguese de lo apuntado que si el chico, aunque bien formado y capaz, debe hallar repulsa en lo que desea, si ha de representar autoridad con la persona, mucho mayor es justo halle el jimio en figura de hombre, el corcovado imprudente, el contrahecho ridículo, que, dejado de la mano de Dios, pretendiere alguna plaza o puesto público" (2).

Este apasionado alegato, así como las últimas palabras que de la consulta he copiado, corroboran las razones de Rangel sobre la imposibilidad de que Alarcón haya sido Teniente de Corregidor de Méjico, ejerciendo con aceptación en ausencia del propietario y sentenciando muchas causas —como decía la misma consulta—. Bartolomé de Góngora, en *El Corregidor sagaz* (folio I vto.), dice que para tales cargos "suelen los Príncipes escoger personas calificadas... y que su aspec-

---

(1) "Ruiz de Alarcón y las fiestas de Baltasar Carlos", *Revue Hispanique*, 1916, XXXVI, 174.

(2) *Pasajero*. alivio VI.—Rivad., XLII, 185, epigr. X, de Jacinto Polo de Medina: "A un hombre gibado y pequeño de cuerpo". Le llama: "soneto de estrambote".

to sea grave y de gentil persona, porque así conviene al servicio de su Majestad"; y cita a Séneca y a San Basilio sobre que "entre las abejas, la más bizarra tiene el gobierno de la república". Justo es recordar, a todo esto, que el mismo Bartolomé de Góngora era Corregidor de Atitalaquia...

Grave estorbo para la vida el de don Juan Ruiz de Alarcón, y que puede explicar en parte la actitud de recelo mental que se nota en su obra. ¡Una corcova en el siglo XVII! Considérese que aquéllos eran tiempos en que lo cómico visual se destacaba a los ojos de los hombres con una fuerza que el moderno subjetivismo y el sentimiento moderno de la dignidad humana han atenuado. ¡Tiempos en que las moleduras de don Quijote daban menos compasión que risa, y en que Guzmán de Alfarache presume si los mozos habrán colgado a la ventera por los pies de un olivo y le habrán dado mil azotes, al verlos salir de una venta destemplados de risa! Evoluciones de la sensibilidad.

III

FAMILIA Y NOMBRES

Otra fatalidad más persiguió al poeta, que fué el empeñarse en recibir el tratamiento de *don*.

Según la consulta del Consejo de Indias, "su padre fué uno de los mineros de Tasco, de que resultó aumento a la Real Hacienda; y su agüelo, de los primeros pobladores de Nueva España" (1). A creer lo que Suá-

---

(1) Según el acta matrimonial de los padres de Alarcón, el vecino de la Nueva España era el abuelo materno, Mendoza como el primer Virrey y tal vez su pariente, quien pudo trasladarse a las Indias buscando el apoyo del gobernante.

rez de Figueroa dice, tal vez aludiendo al padre de
Alarcón, "sólo tenía por cuidado el buen viejo jun-
tar dineros", y "granjeó mediana hacienda". (*Pasajero*, II) (1).

En todo caso, su alcurnia era ilustre: era descen-
diente del adalid Ferrán Martínez de Cevallos, que
ganó a Alarcón contra los moros en 1177; de García
Ruiz de Alarcón, defensor de la casa de Trastamara
contra la de Lancáster, y vencedor de Enrique *el In-
glés* en 1390; y, sobre todo, de los Mendozas —familia
la más noble de España—, señores de Cañete, conquis-
tadores de Antequera, Guadix, Granada, Virreyes de
Indias y domadores de Arauco (2). Siempre se preció
de su linaje, y aun llevó al teatro (especialmente en
Los favores del mundo) el elogio de sus antecesores,
salpicando sus comedias con orgullosos recuerdos de
sus apellidos (3). Cuando vino a pretender a la Corte,
los usaba en apoyo de sus pretensiones. Un don Juan
de Luna y Mendoza figura en *Los favores del mundo*,
y estos apellidos, que aparecen en varias de sus comedias, los reúne también la "doña Lucrecia" de *La verdad sospechosa*. El poeta buscaba el favor de los grandes, y en sus obras se oyen constantemente nombres
de nobleza: Villagómez, Aragón, Herrera, Lara y Man-
rique, Figueroa, Toledo, Guzmán, Girón.

En 1617, Diego de Agreda y Vargas publica una

---

(1)   Alarcón recibió dinero de Méjico alguna vez (Pérez Pastor, *Bibliogr. Madrileña*, doc. I) ; pero no hay que dar a este
hecho demasiada importancia.

(2)   Véase L. F.-G., págs. 1 y sigts. y 267.

(3)   Quevedo, *Premáticas y aranceles generales* (Rivadeneyra,
XXIII, 436 *b*) : "Asimismo, que los Mendozas, Enríquez, Guz-
manes y otros apellidos semejantes que las putas y moriscos
tienen usurpados, se entienda que son suyos como la "Marque-
silla" en las perras, "Cordobilla" en los caballos, y "César" en
los extranjeros".

paráfrasis de Aquiles Tacio —*Los más fieles aman-*
tes—, que dedica precisamente a don Juan de Luna y
Mendoza, Marqués de Montesclaros, ex Virrey de la
Nueva España y gran mecenas de los versos. Alarcón
escribe para este libro unos versos laudatorios, donde
usa ya aquel famoso *don* que había de atraerle tantas
burlas.

El implacable Suárez de Figueroa nos lo pinta así,
presa de la locura caballeril: "Animóle una noche bue-
namente (pienso que muerta la luz) la primer primicia
desta locura, y amaneció hecho un *don*..." Acaso lo alude también cuando, al hablar del "setentrional Bonamí", "pensamiento visible, burla de sexo viril, melin-
drillo de naturaleza", le dice: "No obstante sea Micosía
de cuerpo tan abreviado, se hará, por extensión del
nombre, el mayor de la tierra."

En cierta censura de la época, atribuída a Quevedo,
se lee: "Los apellidos de don Juan crecen como los hon-
gos: ayer se llamaba *Juan Ruiz;* añadiósele el *Alarcón,*
y hoy ajusta el *Mendoza,* que otros leen *Mendacio.* ¡Así
creciese de cuerpo, que es mucha carga para tan pequeña bestezuela! Yo aseguro que tiene las corcovas llenas
de apellidos. Y adviértase que la *D.* no es *don,* sino su
medio retrato" (1). El doctor Mira de Mescua le dice:
"Alarcón, Mendoza, Hurtado, don Juan Ruiz...", como
si le cansara tan largo nombre. Lope, en *El anzuelo
de Fenisa* (1617):

> Añadiremos un *don,*
> diremos que es caballero,
> y, aunque con poco dinero,
> tendrá mucha presunción.

Pero esta burla era frecuente, y los biógrafos de Mon-

---

(1)   Rivad., LII, 588 *b.*

talván citan el conocido epigrama de Quevedo contra
éste:

> El *doctor* tú te lo pones,
> el *Montalbán* no lo tienes:
> con que, quitándote el *don*,
> vienes a quedar *Juan Pérez* (1).

El mismo Alarcón, en *Mudarse por mejorarse* (II,
13 y III, 2), acusa a cierto Figueroa, escudero, de usar
el nombre de la casa de Feria, y advierte:

> No han de ser desvanecidos
> los pobres; que es muy cansado
> un hombre en humilde estado
> hecho un mapa de apellidos (2).

Con todo, en *Las paredes oyen,* se representa a sí
mismo triunfante de los maldicientes, bajo el nombre
de "don Juan de Mendoza"; y en *La prueba de las promesas,* II, 5, dice:

> ¿Remoqueticos al *don?*
> ¡Huélgome, por vida mía!

----

(1) Véase también Vélez de Guevara, *El diablo cojuelo,* edición Bonilla en la Soc. de Bibl. Madrileños, págs. 26-28 y 31-32.
Aunque cita el apellido Mendoza, no creo que aluda a Alarcón,
que ya había muerto.—Véase también Quevedo, en la *Visita de
los chistes,* Rivad., XXIII, 336 *a:* "Yo he visto sastres y albañiles
con *don*"; y en la *Premática y aranceles generales* (ídem 436 *b*)
"... advertido de la multitud de *dones* que hay en nuestros rei-
nos y repúblicas, y considerando el cáncer pernicioso que es,
y cómo se va extendiendo, pues hasta el aire ha venido a tenerle
y llamarse *don-aire...*"

(2) Ed. Barry (*La verdad sospechosa.* Collec. Merimée, página XX, núm. 24), supone que se alude a Francisco Guzmán de
Mendoza y Feria, gentilhombre del Marqués de Montesclaros en
Méjico, a quien, en *Las paredes oyen,* llama "Narciso", por alusión a su poema de este nombre (*Flores de varia poesía,* México, 1577).

Mas, escúchame, Lucía,
que he de darte una lición
para que puedas saber
—si a murmurar te dispones—
de los pegadizos *dones*
la regla que has de tener:
si fuera en mí tan reciente
la nobleza como el *don*,
diera a tu murmuración
causa y razón suficiente;
pero si sangre heredé
con que presuma y blasone,
¿quién quitará que me *endone*
cuando la gana me dé?...
Luego, si es noble, es bien hecho
ponerse el *don* siempre un hombre,
pues es el *don* en el nombre
lo que el hábito en el pecho (1).

Sobre el derecho que tenía a sus apellidos, ha venido a tranquilizarnos la tardía publicación del acta matrimonial de sus padres. Estos eran personas bienquistas en Méjico —como observa Cotarelo—, puesto que cuentan entre los testigos a don Luis de Villanueva, Oidor de la Real Audiencia de Méjico; a don Francisco de Velasco y Sarmiento, caballero de Santiago, hermano de don Luis —el que fué segundo Virrey de la Nueva España—; a don Luis de Velasco, el segundo, primogénito del anterior y también Virrey, primer Marqués de Salinas y, más tarde, Presidente del Consejo de Indias; y, en fin, al "opulento Alonso de Villaseca, fundador del Colegio de San Pedro y San Pablo, de Méjico". "Eso explicaría —añade Cotarelo— la protección que luego dispensó a nuestro poeta el Marqués de Sali-

---

(1) Respecto al supuesto hábito de Alcántara concedido a Alarcón, véase, en contra, nota en los apéndices, y también *Revista de Filología Española*, IV, págs. 209, reseña de la edición de *No hay mal que por bien no venga*, de A. Bonilla.

nas" (1). Y, en efecto, este es el único indicio de semejante protección, gratuitamente supuesta por Fernan-
dez-Guerra, y que ha padecido más al destruir Rangel
la probabilidad de que Alarcón saliera de Méjico con
el Marqués de Salinas. Con García Guerra volvió de
España, a García Guerra dedicó su tesis de Licenciado
en Leyes, llamándose su protegido; y, después de muerto García Guerra, abandona a Méjico para pretender
en la Corte. Más fundado parece que García Guerra
haya sido su protector, como dice Icaza.

De los padres de Alarcón nada más sabemos. Este,
en 25 de mayo de 1607, declara (V. documento N, en el
Apéndice) tener aún en la Nueva España su casa y sus
padres. Si su padre murió en 1617, como se ha pretendido, no lo sabemos. Respecto a sus hermanos, pueden consultarse las páginas de Rangel (Doc. Y del
Apéndice).

IV

VIDA LITERARIA

Comenzar la vida literaria de Ruiz de Alarcón por
las fiestas de San Juan de Alfarache (año de 1606), es
ir demasiado lejos y exagerar la importancia de sus
pasatiempos de estudiante. Por otra parte, la vida literaria de Méjico parece completamente atraída en aquella época por el mundo de la Universidad. Fuera de las
noticias sobre el grado de licenciatura, dispensa para
la pompa del doctorado y oposiciones a cátedras, sólo

---

(1)   Véase el índice de documentos en el apéndice. También
J. García Icazbalceta, "Un Creso del siglo XVI en México"
Obras, 435, edic. Agüeros, 1896.

sabemos que, cuando se doctoró cierto Bricián Díez Cruzate, el acostumbrado vejamen académico corrió a cargo de Alarcón; pero este vejamen se ha perdido. Entre 1609 y 1613 podrán todavía encontrarse noticias sobre la vida de Alarcón en la Nueva España, y las esperamos de Rangel.

Entre tanto, la verdadera vida literaria de Ruiz de Alarcón se desarrolla toda en la Corte, del año de 1615 en adelante. Una ruidosísima riña sirve de fondo al apogeo de la Comedia. Lope de Vega provoca idolatrías y rencores, y parece que todo el ambiente se carga de pasión. El caso de nuestro poeta es, en medio de aquel mundo agitado, un episodio sobresaliente. Conoció las burlas —ya lo hemos visto—, las silbas en los teatros, a que alude en varios lugares de su obra; y, en el proemio de su "Parte segunda" (1634), advierte que sus comedias "han pasado por los bancos de Flandes, que, para las comedias, lo son los del teatro de Madrid". Tuvo, seguramente, su hora de vanagloria cuando los letreros rojos anunciaban la representación de sus obras. Lo alude Quevedo:

> ¿Quién a las chinches enfada?
> ¿Quién es en este lugar
> corcovado "de guardar",
> con su letra colorada?
> ¿Quién tiene toda almagrada,
> como ovejita, la villa?
>   —Corcovilla (1).

Y, asociado a Tirso de Molina, lo recuerda un viejo epigrama:

> ¡Víctor don Juan de Alarcón
> y el fraile de la Merced!

---

(1)   Véase L. F.-G., pág. 196.

(Por ensuciar la pared,
que no por otra razón.) (1)

En varios pasajes de sus obras se nota la pugna que
mantiene con los poetas de su tiempo y contra las rutinas de la comedia: ya es una burla de los criados graciosos, ya de las damas disfrazadas de hombre para
seguir a sus amantes, como en *Los donaires de Matico*, de Lope (2); ya se queja de los murmuradores, con

(1) Véase Cervantes en *La Gitanilla*, edic. F. Rodríguez
Marín de "La Lectura", 1914, pág. 48. "Y sacó de la faldriquera
tres reales de a ocho, que repartió entre las tres gitanillas, con
que quedaron más alegres y más satisfechas que suele quedar
un autor de comedias cuando, en competencia de otro, le suelen
retular por las esquinas: *víctor, víctor*." Acaso esta costumbre
tiene origen universitario; "así se celebraban, comenta F. R. M.,
los triunfos catedráticos y graduados".

(2) Don Antonio Hurtado de Mendoza, *Más merece quien
más ama*, II, 3:

> "Un poeta celebrado
> y en todo el mundo excelente,
> viéndose ordinariamente
> de otro ingenio mormurado
> de que, siguiendo a un galán,
> en traje de hombre vestía
> tanta infanta cada día,
> le dijo: "Señor don Juan,
> si vuesarced satisfecho
> de mis comedias mormura,
> cuando con gloria y ventura
> novecientas haya hecho,
> verá que es cosa de risa
> el arte; y, sordo a su nombre,
> las sacará en traje de hombre,
> y aun, otro día, en camisa.
> Dar gusto al pueblo es lo justo:
> que allí es necio el que imagina
> que nadie busca doctrina,
> sino desenfado y gusto."

Pueden contener estas palabras, como dice L. F.-G., una res-

alusiones que se han creído dirigidas contra Villamediana, Góngora, Suárez de Figueroa. Pero estas pro-
testas contra los vicios de la sociedad no le son priva-
tivas, como tampoco las que levanta contra las rutinas
del teatro: todos, en su tiempo —y aun el mismo
Lope—, parecen protestar por fórmula contra la tira-
nía de una ley a la que, de hecho, se someten.

A la representación de *El Anticristo*, la guerra contra Ruiz de Alarcón alcanzó extremos lamentables. En
un pasaje de *Las venganzas del amor*, de don Sebastián
Francisco de Medrano (*Favores de las Musas*, 1631,
pág. 32), dice Momo:

> Anden los poetas listos,
> y mírenme con temor,
> que para dar mal olor
> tengo aceite de Anticristos.

Y, al margen, nota el editor: "Alude a un aceite de
muy mal olor que echaron en una comedia del *Anticristo* de don Juan de Alarcón sus émulos, por que no se
acabara."

Añade Fernández-Guerra que "Diego de Vallejo
—que hacía la figura del Anticristo—, o atufado por

---

puesta a Ruiz de Alarcón; pero yo no las entiendo como él, antes
veo en ellas una clara ironía contra los procedimientos de Lope.
En cuanto al rasgo mismo de la mujer que se disfraza de hombre, abunda en la literatura de la época, y tampoco faltó en la
realidad. Recuérdese el caso de *Las dos doncellas*, de Cervantes
(Cfr. F. A. de Icaza, *Las novelas ejemplares*, 1915, págs. 203-
204, núm. 119). Sobre la "Monja Alférez" hay una comedia de
Montalbán (Véase G. W. Bacon en la *Revue Hispanique*, 1912,
xxvi, 395).—En el *Atila Furioso*, de Cristóbal de Virués (1609),
Flaminia, amante de Atila, aparece disfrazada de paje, y la
reina se enamora de ella, engañada por el disfraz. Un engaño
semejante hay en *El Peregrino*, de Lope. En el teatro del mismo
Lope, y acaso más en el de Tirso, son frecuentes las mujeres disfrazadas de hombre.

Un acontecimiento de la Corte vino a sazonar todavía más la vida literaria de Ruiz de Alarcón: el año de 1623 llega con fastuoso cortejo el Príncipe de Gales, Carlos Estuardo, a tratar sus bodas con la Infanta de Castilla María de Austria. Su rápido paso por Madrid deja un recuerdo en la poesía de la época, y, para Fernández-Guerra, tiene —con razón— cierto atractivo de aventura romántica. De vuelta a su patria —dice— "aguardábanle un trono y un cadalso".

Bajo los festejos cortesanos hierven entonces las rivalidades mal encubiertas. Luis Vélez, nombrado ujier de la cámara del Príncipe, no teme disgustar al Conde-Duque de Olivares, quejándose del enojo de los huéspedes y de las pretensiones del Príncipe:

---

b y *e*, y el pasaje de *Los pechos privilegiados*, III, 3: "Culpa a un bravo bigotuto", etc. L. F.-G. asocia arbitrariamente al poeta con doña Clara de Bobadilla y Alarcón, sólo porque ambos escribieron versos en los preliminares del citado libro de *Los más fieles amantes* (L. F.-G., págs. 119, 230, 316, 337, 402). Hay más: Barry, en su edición de *La verdad sospechosa*, advierte que esa misteriosa "doña Ana" que cruza por sus comedias pudo ser realmente su pasión. En *Las paredes oyen*, la disputaría a "don Mendo", que puede ser Villamediana. Esta comedia, continúa, es probablemente del año de 1618; y después añade que, en efecto, por aquellos años Villamediana contraía matrimonio con una doña Ana de Mendoza. F.-G., página, 240, fijaba este matrimonio en el año de 1616. Pero no tienen estas conjeturas bastante fuerza. Cotarelo, en su libro sobre Villamediana, pág. 25, dice: "Doña Ana de Mendoza y de la Cerda, con quien contrajo esponsales en Guadalajara el 4 de agosto de este año de 1601 y matrimonio algunos meses después..." Admitiendo, pues, la hipótesis, sobre la fecha de la comedia, Villamediana llevaría unos diecisiete años de matrimonio para esa época. Hace años, inspirado por las conjuras de los eruditos, escribió e hizo representar, en el teatro Principal de Méjico, un drama sobre *Los amores de Alarcón*, el arqueólogo mejicano Alfredo Chavero. Daba cuenta de la obra en los periódicos el poeta Gutiérrez de Nájera. "Ha sido —decía— un fiasco laborioso."

> Yo nasí en el rinión de Andalucía,
> y no es justo que en siglo de Gusmanes
> tenga cautiva en Londres mi poesía.
>   Muera yo entre Tenorios y Marbanes,
> que juro a Dios que estoy con poplexía
> de Contintones y de Boquinganes (1).

Para entonces Ruiz de Alarcón ya había logrado hacer representar su comedia *Ganar amigos* ante la Reina Isabel de Borbón (octubre de 1621), y *Siempre ayuda la verdad* —en la que colaboró con Tirso, según unos, y con Luis Belmonte, según otros— en febrero de 1623 y ante el Rey, ora sea en Sevilla, ora en Madrid, como quieren otros. Todo ello iba en el camino de sus pretensiones.

Cuando, en 21 de agosto de este año de 1623, el Rey Felipe IV hizo celebrar fastuosamente los conciertos entre el Príncipe de Gales y la Infanta de Castilla, Alarcón dedicó al Duque de Cea —mantenedor de la fiesta— cierto *Elogio descriptivo*, que le valió el vejamen de Quevedo a que hemos aludido al tratar de la figura de Alarcón, así como las décimas burlescas que allí citamos. La verdad es que Alarcón no tenía vena de improvisador, ni era poeta de circunstancias, ni manejaba con facilidad el estilo pomposo que convenía al caso. Tratábase de escribir un poema en octavas, y parece que Mira de Mescua le sugirió la idea de hacer con las octavas lo que con los actos de las comedias se venía haciendo de tiempo atrás, en caso de urgencia: distribuirlas entre varios amigos. Así salió el desdichado poema en setenta y tres octavas reales, fraguadas por una docena de ingenios. En el vol. LII, páginas 583 y siguientes, de la Biblioteca "Rivadeneyra",

---

(1)   J. Gómez Ocerín, "Un soneto inédito de Luis Vélez", *Rev. de Filología Española*, III, 69-72.

pueden leerse el poema y las sátiras que provocó. Diez
y seis páginas de este vejamen han llegado a nosotros.
Pérez de Montalván le llama "poema sudado, hijo de
varios padres". Alonso del Castillo: "El poema que a
Alarcón—le ha costado tan barato,—es parecido retrato—de su talle y su facción.—Belmonte y Pantaleón
—son gibas del haz y envés,—Mescua y don Diego los
pies;—él, la cabeza, aunque fea,—y el dinero del de
Cea,—el alma de todo es." Góngora le dice: "De las
ya fiestas reales—sastre y no poeta seas,—si a octavas,
como a libreas,—introduces oficiales." Quevedo, en su
décima, dice que el señor Adelantado (el Duque de Cea)
debiera volverle a quitar a Alarcón el dinero que le
ha dado. Mira de Mescua, por ser el autor de la invención, pide la mitad de las utilidades. Y siguen las burlas por el mismo tenor, combinando las alusiones a la
deformidad del poema y a la de su autor responsable.

Hacia 1626 puede creerse que se retira Alarcón del
mundo literario, en cuanto sus pretensiones comienzan
a cumplirse.

En 1628, cuando publica la "Parte primera de sus
comedias", dice a su protector que sus comedias no
son más que "virtuosos efectos de la necesidad" en que
la dilación de sus pretensiones le puso. A veces, parece
que los poetas de aquel tiempo tomaran como labor
secundaria el hacer comedias, dando gusto de cualquier
modo a las aficiones del pueblo. Lope ponía sus cinco
sentidos en sus eruditas novelas: para el teatro pre-
tendía "hablar en necio" y emborronar el papel a toda
prisa.

Para 1634, cuando Ruiz de Alarcón publica su "Parte segunda", le dice al lector: "que, siendo mordaz, ga-
narás opinión de tal, y a mí no me quitarás la que con
ellas adquirí entonces (si no miente la fama) de buen
poeta, ni la que hoy pretendo de buen ministro".

Es lástima que Luis Fernández-Guerra, a quien tanto deben los estudios alarconianos, haya mezclado lo cierto con lo dudoso; es lástima que nadie haya intentado restaurar el cuadro de ambiente que él trazó, y que ha envejecido tanto. Aquí sólo hemos pretendido copiar algunos datos amenos, todos relativos a las burlas que el poeta sufrió. No quisiéramos con ello causar una impresión falsa en el lector: no hay quien viva sólo de burlas.

En la obra de Alarcón encontramos un eco de los desengaños de su vida. No cabe duda que tuvo amigos excelentes; a sus protectores sabe agradecerles en pocas palabras el bien que le han hecho. Pero del conjunto de los hombres, en relación con su obra literaria, del público en general, ¿qué recuerdo guarda? Léanse las altivas palabras *al vulgo:* "Contigo hablo, bestia fiera..." (1).

V

LA OBRA DE ALARCÓN

Representa la obra de Alarcón una mesurada protesta contra Lope, dentro, sin embargo, de las grandes líneas que éste impuso al teatro español. A veces sigue muy de cerca al maestro, pero otras logra manifestar su temperamento de moralista práctico de un modo más independiente. Y, en uno y otro caso, da una nota so-

---

(1) Lope, en carta a don Antonio de Mendoza (edic. académica, I, pág. 654): "Las comedias de Alarcón han salido impresas; sólo para mí no ay licencia. Del vulgo se quexa y le llama *bestia fiera.* Dizen que el vulgo ha vuelto por sí en una sonetada. Si la cobro la verá Vm..." ¿A qué soneto o sonetos alude Lope de Vega?

bria, y le distingue una desconfianza general de los convencionalismos acostumbrados, un apego a las cosas de valor cotidiano, que es de una profunda modernidad, y hasta una escasez de vuelos líricos provechosamente compensada por ese tono "conversable y discreto" tan adecuado para el teatro. Nota Pedro Henríquez Ureña (1) que es Alarcón un temperamento en sordina, preciosa anomalía de un siglo ruidoso; y Menéndez y Pelayo escribe: "Su gloria principal será siempre la de haber sido el clásico de un teatro romántico, sin quebrantar la fórmula de aquel teatro ni amenguar los derechos de la imaginación en aras de una preceptiva estrecha o de un dogmatismo ético; la de haber encontrado, por instinto o por estudio, aquel punto cuasi imperceptible en que la emoción moral llega a ser fuente de emoción estética..." (2).

Complejísima debió de ser la elaboración de esta psicología refinada. Un claro sentimiento de la dignidad humana parece ser su último fondo, y a medida que del yo íntimo avanzamos hacia sus manifestaciones sociales y estéticas, vamos encontrando, como otras tantas atmósferas espirituales, un viril amor de la sinceridad, que nunca desciende a la crudeza; un gran entusiasmo por la razón, que quisiera instaurar sobre la tierra el régimen de la inteligencia, y siempre dedicado a mostrarnos el desconcierto de las existencias que gravitan fuera de esta ley superior; cierto orgullo caballeresco del nombre y la prosapia, por afición al mayor decoro de la vida, como una nueva dignidad que sirve de máscara a la dignidad interior; el gusto de la cortesía y el cultivo de las buenas formas, freno

(1) *Don Juan Ruiz de Alarcón*. (Conferencia pronunciada en Méjico en 1913.) Habana, 1915.
(2) *Hist. de la poesía hispano-americana*, 1911, I, 63-64.

perpetuo de la brutalidad, que hace vivir a los hombres
en un delicado sobresalto; el disgusto de la rutina y
los convencionalismos de su arte, pero sin consentirse
nunca —por culto a la moderación— un solo estallido
revolucionario; una elegancia epigramática en sus palabras, y en sus retratos un objetivismo discreto; una
actitud de cavilación ante la vida, ocasionada tal vez
por su desgracia y defectos personales, y hasta por
cierta condición de extranjero, que todos se encarga-
ban de recordarle; finalmente, una apelación a todas
las fuerzas organizadoras de que el hombre dispone,
una fe perenne en la armonía, un ansia de mayor cor-
dialidad humana, que imponen a su vida y a su obra
un sello de candidez.

Entre la revuelta jauría literaria, burlado y herido,
Ruiz de Alarcón no se convence de que la naturaleza
humana sea fundamentalmente mala, y busca a su opti-
mismo, por todos los medios, una convicción externa,
objetiva. Satisfecho de su fama poética, reclama, con
decente naturalidad, su parte en las comodidades del
mundo, y entonces aspira a ser un buen ministro. Du-
damos de que haya sido feliz; nada sabemos de su
hogar, e ignoramos quién era Angela Cervantes. Pero
¡noble amor el de la fama! El cuida al poeta como un
verdadero demonio familiar y, descontando las pena-
lidades presentes, le permite proyectar a través del
tiempo la imagen más pura de sí mismo, y la más feliz.
El arte es también desquite de la vida, y bienaventu-
rado el que pueda alzar la estatua de su alma con los
despojos de esta realidad que todos los días nos asalta.

Una mesurada protesta contra Lope. — No sólo por
su posición crítica ante algunas convenciones del teatro, como la conducta de sus graciosos, que —dice Barry—, a pesar de Lope y de la antigüedad, no son siempre bribones, ni siempre se casan necesariamente al

tiempo que sus amos (1). De esta rutina, que da por
momentos a la comedia cierto aire de danza ritual, a
través de las situaciones simétricas y contrarias de
amos y criados, ya se burlaba Quevedo en la "Premática" inserta en *El Buscón;* también Tirso de Molina
censura la intimidad inverosímil entre el amo y criado (2). Ni siquiera pararon siempre en casamiento las
comedias de Alarcón, aunque no sea único en esto. Respecto a los casos exagerados, como el disfraz masculino
de las mujeres, algo he dicho ya. No era su teatro un
teatro de fantasía y diversión como el de Tirso, sino
de realismo y pintura de caracteres. Pero nada de esto
le es privativo, aunque todo ello concurra a darle relie-
ve distinto. Sino que en Lope, en el tipo fundamental
de la comedia española, la invención lo es todo, y aquella ráfaga avasalladora de acción deshace hasta la psicología, y si no arrasa también la ética (yo creo que
muchas veces la arrasa) es porque el sentido moral se
salva prendido provisionalmente a las nociones mecá-
nicas del "honor". Alarcón, en cambio, procura que su
acción tenga una verdad interna y, como no puede menos de valerse de convenciones, hace disertar a sus personajes —tal sucede en *La verdad sospechosa*—, para
que se demuestren a sí mismos, por decirlo así, la verosimilitud de la acción en que están comprometidos; y,
de tiempo en tiempo, pone en sus labios resúmenes de
los episodios que nos permitan apreciar su sentido.
Por eso decía Barry que se propone desarrollar una
sola intriga, huyendo de la confusión de asuntos, y
que "no sin cierta dificultad" la lleva a término. Esto
paga a la debilidad de los recursos dramáticos de su

---

(1)   *Los favores del mundo,* II, 1 y 2, y *La Verdad sospechosa.*
(2)   *Amar por señas,* I, 1.

tiempo. Algo de aquel disgusto por lo convencional, que su "Don Domingo de don Blas" lleva a las cosas de la vida, anima a Alarcón en la esfera del arte. Y *La verdad sospechosa*, su obra más característica, verdadero compendio de su teatro, ¿no podría también interpretarse como una ironía inconsciente de los procedimientos teatrales en boga? Su final es frío y desconsolador: Corneille no se atrevió a conservarlo en su adaptación francesa (*Le Menteur*), anulando el sentido que la comedia tiene hoy para nosotros. Como en un cuento del humorista norteamericano Mark Twain, la acción procede de una en otra mixtificación, hasta que el héroe tropieza contra un verdadero muro infranqueable. Lo ordinario es que en el teatro español los héroes se abran paso de cualquier modo; pero en *La verdad sospechosa* —si no para Alarcón, sí para sus lectores modernos— las leyes del orden, las fuerzas de la razón se vengan. Don García queda contrariado: "La mano doy, pues es fuerza", dice "Don García", y éste es el resultado más lógico de su trama de embustes.

Da una nota de sobriedad. — "Los aficionados a la corrección y a la pulcritud de la forma —ha dicho Menéndez y Pelayo—, a la moralidad humana y benévola, al fino estudio de los caracteres medios, a la parsimonia y al decoro en la expresión de los afectos, se sienten invenciblemente atraídos por el teatro de don Juan Ruiz de Alarcón, nuestro Terencio castellano, tan semejante al latino en las dotes que posee y en las que le faltan" (1). Más adelante, al compararle con Tirso, nota que resulta algo frío y prosaico, aunque rara vez cae en los extravíos de éste, a quien, por otra parte, vence, "como vence a todos los dramáticos nuestros, en

_____

(1) Prólogo a la obra de doña Blanca de los Ríos de Lampérez, *Del Siglo de Oro*, pág. XXII.

*

aticismo, en limpieza y tersura y acicalamiento de la frase, en el buen gusto sostenido y en la perfección exquisita del diálogo". Esta mayor minuciosidad artística explica la relativa lentitud, la comparativa escasez de su obra. Decía bien don Antonio de Mendoza: Don Juan nunca escribiría novecientas comedias, ni podría echar el arte a risa.

Su apego a las cosas de valor cotidiano.—En el mundo febril de la comedia española, tienen verdadero encanto esos descansos de la acción, esos bostezos de la intriga que nos permiten sorprender los aspectos normales y desinteresados de aquellas vidas tan lejanas. Entonces, como el "Crespo", de *El Alcalde de Zalamea*, se nos habla del pedazo de jardín en que la hija se divierte, del viento que suena entre las parras (II, 5). Entonces acude el poeta a la sátira de las costumbres y de los modos de vestir. Otras veces, son unos lugares comunes apacibles. Para un pueblo en quien la voluntad estética era más despierta y más pura —el pueblo griego— el coro, base tradicional de la tragedia, llenaba esos descansos de la acción, emprendiendo un himno patético, que venía a ser verdadera y oportuna descarga de las emociones acumuladas por los episodios anteriores. Aquí se prefiere, a veces, algo como un momentáneo olvido, un ligero desmayo, que acaba por tener ese pudoroso encanto de las cosas humildes. Yo quiero llamar la atención del lector sobre el ambiente sereno de algunos pasajes de Alarcón. En *La verdad sospechosa* (III, 10) hablan "Don Juan de Luna" y "Don Sancho", los dos viejos, sobre ir a pasear al río; sala con vistas a un jardín:

—Parece que la noche ha refrescado.
—Señor don Juan de Luna, para el río,
éste es fresco, en mi edad, demasiado.
—Mejor será que en ese jardín mío

> se nos ponga la mesa, y que gocemos
> la cena con sazón, templado el frío.
> —Discreto parecer: noche tendremos
> que dar al Manzanares más templada;
> que ofenden la salud estos extremos.

No es más que el miedo a la corriente de aire: un miedo burgués.

El sentimiento de la dignidad humana, la subordinación de los valores éticos.—"Piensa que vale más (usaré las clásicas expresiones de Schopenhauer) *lo que se es* que *lo que se tiene* o *lo que se representa*. Vale más la virtud que el talento, y ambos más que los títulos de nobleza; pero éstos valen más que los favores del poderoso, y más, mucho más, que el dinero... Además, le son particularmente caras las virtudes que pueden llamarse "lógicas": la sinceridad, la lealtad, la gratitud, así como la regla práctica que debe completarlas: la discreción" (1). Alarcón nunca desciende a la crudeza, o lo hace para exhibirla, como en la ruda escena que corta, súbitamente, el acto I de *La verdad sospechosa* (2). Los brutales no le entusiasman, ni le seduce ese matiz ético de la voluntad que puede llamarse "verdad inoportuna".

> Lo que siente el pensamiento,
> no siempre se ha de explicar,

dice en *Las paredes oyen* (I, 1).—Es una cuestión de gusto y de buena educación. A veces se ha pensado que su moral no es bastante desinteresada, y en abono de

---

(1) Pedro Henríquez Ureña, págs. 15-16.
(2) Algo ha dicho Hartzenbusch sobre esta manera súbita de cortar los actos (Rivad., XX, pág. xxx). Lo propio acontece con las escenas, advierte Pedro Henríquez Ureña. F. Franchi se quejaba de que los segundos actos de Alarcón acabasen su carrera con cierto desmayo.

ello se aducen varias consideraciones. He aquí —se
dice— los consejos que de su obra resultan: conviene
que el mentiroso se corrija, pero por bien de su nombre; que el maldiciente deje de serlo, pero porque oyen
las paredes. Sus niñas casaderas siempre están mudan-
do propósitos y calculando fríamente las posibilidades
del matrimonio. Son entes de razón, pero no siempre
graciosas. Y todos convienen en que le faltó a Alarcón
el toque, voluble e intenso, de la psicología femenina.
Con todo, Menéndez y Pelayo repara en la nobleza y
distinción aristocrática que alguna vez se admira en
estas mujeres; "y eso que Alarcón no fué muy feliz
en este punto. Pero cuando acertó Alarcón a trazar
un carácter femenino como la "Doña Inés" del *Examen
de maridos*, puso en ella siempre cierta distinción, nobleza y gravedad, como de gran señora, que suele faltar
en las heroínas de Calderón, con ser tan huecas y ento-
nadas" (1). En todo caso, los defectos de sus mujeres,
o son atribuíbles a defectos del procedimiento dramático (2) o a aquella parte de sátira objetiva que hay
en la obra de Alarcón: en efecto, la España del siglo XVII no es la tierra de "Elena Alving" o de "Rebeca
West"; más bien es la de "Nora", antes de descubrir
la verdad. No siempre deben imputarse a Alarcón los
pecados de sus personajes. ¿Cómo ha podido haber quien
declame contra ese graciosísimo rasgo de malicia pater-
na de "Don Beltrán"?:

> Mentir. ¡Qué cosa tan fea!
> ¡Qué opuesta a mi natural!
> Ahora bien, lo que he de hacer

---

(1) *Calderón* (1910), pág. 259.
(2) También se ha pretendido referirlo a la probable mala
fortuna del poeta con las mujeres. No sé si esta explicación
es inteligente.

es casarle brevemente,
antes que este inconveniente
conocido venga a ser.

No niego que Alarcón hable, en la dedicatoria de su
"Parte primera", de que si no se es bueno hay que
procurar parecerlo; pero esto, si no es ya la moral,
es la política de la moral, el camino de la moral. Sócra-
tes, al imprudente que le achacaba estar lleno de malas
pasiones, le contesta: "Me has conocido; así soy, en
el fondo; mi mérito precisamente está en reprimirme."
Recuerde, por último, el lector aquel sabio cuento de
Jules Lemaître —El primer impulso—, donde toda la
santidad de Hairiri se derrumba en cuanto los dioses
le consienten realizar siempre su primer deseo—. Así,
en el sistema de Alarcón, las fórmulas mismas de cortesía —de que se pagaba tanto "Don Domingo de Don
Blas"— cobran una realidad ética como factores del
bien, y nos encaminan a la moderación y al amor de
los hombres.

Y aquí es ineludible abordar el problema del "mejicanismo" de Alarcón, tan ingeniosamente planteado
por Pedro Henríquez Ureña en la conferencia que vengo citando, donde supo dar a la figura del poeta —algo
desvanecida en la crítica académica— una extraordi-
naria vitalidad. No pretende el crítico darnos una explicación total de Alarcón por el ambiente en que pasó
los veinte primeros años de su vida y, con intervalo
de ocho, otros cinco o siete más; pero piensa que, entre
los múltiples elementos que integraban aquella perso-
nalidad, toca al "mejicanismo" parte no secundaria, y
cree descubrirlo en ese tono discreto y mesurado, de
psicologismo caviloso, que le permitió sacar de sí mismo, sin antecedentes calificados ni sucesión inmedia-

ta —creándola a la vez para España y para Francia— (1), la comedia de costumbres.

La tesis, aun con todas las limitaciones con que ha sido propuesta, es arriesgada; aun ocurre preguntarse si, más que servir la fórmula del mejicanismo para explicar a Alarcón, la obra de éste servirá —a título de semejanza simbólica— para acabar de explicarnos algunos rasgos del mejicanismo... Además, una opinión autorizada nos sale al paso: Menéndez y Pelayo dice, en su *Historia de la poesía hispano-americana* (I, 63), que va a prescindir de Alarcón, al hablar de Méjico, por varias razones (2) : "Es la primera, la total ausencia de *color americano* que se advierte en sus producciones, de tal modo que, si no supiéramos su patria, nos sería imposible adivinarla por medio de ellas." En otra parte (*Oríg. de la novela*, I, pág. CCCXCII), escribe que el Inca Garcilaso y Alarcón son "los verdaderos clásicos nuestros nacidos en América". Considera a Ruiz de Alarcón como un americano españolizado —lo cual es verdad en muchos sentidos—, y a Valbuena, como un español americanizado, que tampoco me parece negable.

Es cierto: *color americano* no lo hay en Alarcón; pero no se trata de eso. Menéndez y Pelayo, a pesar de su magno esfuerzo, nunca logró entender por completo el espíritu americano. Para él, la América fué siempre cosa externa, región caracterizada por el "color local", y por eso creía encontrar en las externali-

---

(1) Se ha dicho que la verdadera sucesión alarconiana no está en España, sino en Francia, donde Corneille renuncia a la comedia de intriga para adoptar la fórmula de *La Verdad sospechosa*, e influye después definitivmente en Molière.

(2) Como es de esperar, no prescinde (alguien explicará un día la obra de Menéndez y Pelayo como un caso de ímpetu desbordado) ; al contrario: emite, como de paso, algunos de sus mejores juicios sobre Alarcón.

dades brillantes de Valbuena el secreto del Nuevo Mundo. Su más noble interpretación de América la formuló al asegurar que el fundamento de su originalidad poética "más bien que en opacas, incoherentes y misteriosas tradiciones... ha de buscarse en la contemplación de las maravillas de un mundo nuevo, en los elementos propios del paisaje, en la modificación de la raza por el medio ambiente, y en la enérgica vida que engendraron, primero el esfuerzo civilizador de la conquista, luego la guerra de separación y finalmente las discordias civiles. Por eso —añade— lo más original de la poesía americana es, en primer lugar, la poesía descriptiva, y en segundo lugar, la política". No hay tal, sino la lírica. Menéndez y Pelayo sólo veía lo externo de América: no ya la América exótica, pero todavía la de las revoluciones y la de las selvas vírgenes. Junto a esto —y es mucho más esencial— queda la vida cotidiana, la trama de pequeñas experiencias que labran una psicología nacional. "Son rarísimas en Alarcón —continúa Menéndez y Pelayo— las alusiones y reminiscencias a su país natal: de una sola comedia suya, *El semejante a sí mismo*, se puede creer o inferir con verosimilitud que fuera compuesta en América." Alusiones y reminiscencias. ¿A esto se pretende reducir el carácter nacional? ¿Qué alusión, qué reminiscencia de España hay en las odas abstractas de fray Luis? Con todo, la historia del pensamiento nacional vive en ellas íntimamente.

La crítica histórica se completa con la crítica psicológica. "La literatura de aquel país —dice Adolfo Bonilla, *op. cit.*, pág. XXI— no había adquirido, a principios del siglo XVII, el desarrollo necesario para ostentar caracteres propios e independientes." La literatura no, pero sí la vida nacional, según testimonios contempo-

para los tiempos en que la dialectología mejicana encuentre quien la cultive como cultiva ya el profesor Espinosa la de la región bilingüe de Nuevo Méjico (1). Pero, para eso, es menester que en la misma España, equilibrado aquel entusiasmo por sorprender a la lengua en lo que llamaba Brunetière "flagrante delito de transformación" (2), vuelvan los lingüistas a considerar con ojos atentos la verdadera lengua literaria, cuyos secretos son menos externos y mecánicos.

ALFONSO REYES.

---

(1) J. García Icazbalceta dejó incompleto su *Vocabulario de mexicanismos*. Después de él, y hay que confesar que más bien entre los extraños que entre los propios, todo se reduce a contribuciones parciales, como el estudio de la pronunciación en la ciudad de México, del profesor Charles Carroll Marden, y los materiales recogidos por el profesor Franz Boas. No olvido, pero pongo en segundo término, el deficiente *Diccionario de Mexicanismos*, de F. Ramos y Duarte (1895), y el confuso *Diccionario de Aztequismos*, de C. A. Robelo (1904).

(2) "L'erudition contemporaine et la littérature française au Moyen-Age." (*Etudes critiques sur l'histoire de la littérature française*, I, pág. 6.)

LA VERDAD SOSPECHOSA (*)

HABLAN EN ELLA LAS PERSONAS SIGUIENTES **

Don García, *galán*.
Don Juan, *galán*.
Don Felis, *galán*.
Don Beltrán, *viejo grave*.
Don Sancho, *viejo grave*.
Don Juan, *viejo grave*.
Tristán, *gracioso*.

Un letrado.
Camino, *escudero*.
Un Page.
Jacinta, *dama*.
Lucrecia, *dama*.
Isabel, *criada*.

ACTO PRIMERO

(*Sala en casa de* Don Beltrán.)

[ESCENA I]

(*Salen por una puerta* Don García *y un* Letrado *viejo, de estudiantes, de camino; y, por otra,* Don Beltrán *y* Tristán.)

D. BELTRÁN.   Con bien vengas, hijo mío.
D. GARCÍA.   Dame la mano, señor.

---

* Según la edición hecha por el autor en 1634. También se han tenido en cuenta las siguientes: Madrid, Imprenta de la Educación Pueril, 1850, cuidada por Hartzenbusch; la que éste preparó para la Bibl. Rivad., XX, que difiere de la anterior en la indicación de escenas y en la lectura de los versos números 163, 607, 954, 1919, 2083, 2416, 2613, 2899, 2978, 3019; y, finalmente, la de Ed. Barry para la colección "Merimée" que sólo difiere de la de Rivad. en la lectura de los versos números 30, 241, 2792, y en la puntuación interpretativa del número 3010. Ninguna se ajusta completamente a la antigua, y el orden en que las he enumerado es el orden de preferencia, en cuanto a pureza del texto. La de Ed. Barry tiene notas muy sugestivas, y comparaciones con los pasajes correspondientes de *Le Menteur*, de Corneille.

** Además, Un Criado: III, II.

D. BELTRÁN. ¿Cómo vives?

D. GARCÍA.   El calor
del ardiente y seco estío
    me ha afligido de tal suerte,   5
que no pudiera llevallo,
señor, a no mitigallo
con la esperança de verte.

D. BELTRÁN.   Entra, pues, a descansar.
Dios te guarde. ¡Qué hombre vienes!—   10
¿Tristán?...

TRISTÁN.   ¿Señor?...

D. BELTRÁN.   Dueño tienes
nuevo ya de quien cuydar.
    Sirve desde oy a García;
que tú eres diestro en la Corte
y él bisoño.

TRISTÁN.   En lo que importe,   15
yo le serviré de guía.

D. BELTRÁN.   No es criado el que te doy;
mas consejero y amigo.

D. GARCÍA.   Tendrá esse lugar conmigo.   *(Vase.)*

TRISTÁN.   Vuestro humilde esclavo soy.   *(Vase.)*   20

[ESCENA II]

D. BELTRÁN.   Deme, señor Licenciado,
los braços.

LETRADO.   Los pies os pido.

---

21 Véase *Los favores del mundo*, I, 9:

"—Dadme los brazos.
                    —Señor,
con que a vuestros pies me abaje
premiáis mi hazaña mayor."

Y Lope, *La Estrella de Sevilla*, I, 5:

D. BELTRÁN.   Alce ya. ¿Cómo ha venido?
LETRADO.   Bueno, contento, honrado
              de mi señor don García,   25
              a quien tanto amor cobré,
              que no sé cómo podré
              vivir sin su compañía.
D. BELTRÁN.   Dios le guarde, que, en efeto,
              siempre el señor Licenciado   30
              claros indicios ha dado
              de agradecido y discreto.
              Tan precisa obligación
              me huelgo que aya cumplido
              García, y que aya acudido   35
              a lo que es tanta razón.
              Porque le asseguro yo
              que es tal mi agradecimiento,
              que, como un corregimiento
              mi intercessión le alcançó   40
              (según mi amor, desigual),
              de la misma suerte hiziera
              darle también, si pudiera,
              plaça en Consejo Real.
LETRADO.   De vuestro valor lo fío.   45
D. BELTRÁN.   Sí, bien lo puede creer.
              Mas yo me doy a entender
              que, si con el favor mío

          —"Los pies me dad.
—Mis dos brazos, regidor,
os daré.—
         —Tanto favor
no entiende mi actividad."

41 *Desigual:* inferior. Véase *desigualdad* en *Las paredes oyen,* v. n. 2.
45 *Valor:* valimiento.

                    en esse escalón primero
                    se ha podido poner, ya   50
                    sin mi ayuda subirá
                    con su virtud al postrero.

LETRADO.   En qualquier tiempo y lugar
                    he de ser vuestro crïado.

D. BELTRÁN.   Ya, pues, señor Licenciado   55
                    que el timón ha de dexar
                    de la nave de García,
                    y yo he de encargarme dél,
                    que hiziesse por mí y por él
                    sola una cosa querría.   60

LETRADO.   Ya, señor, alegre espero
                    lo que me queréys mandar.

D. BELTRÁN.   La palabra me ha de dar
                    de que lo ha de hazer, primero.

LETRADO.   Por Dios juro de cumplir,   65
                    señor, vuestra voluntad.

D. BELTRÁN.   Que me diga una verdad
                    le quiero sólo pedir.

                    Ya sabe que fué mi intento
                    que el camino que seguía   70
                    de las letras, don García,
                    fuesse su acrecentamiento;

                    que, para un hijo segundo,
                    como él era, es cosa cierta
                    que es éssa la mejor puerta   75
                    para las honras del mundo.

                    Pues como Dios se sirvió
                    de llevarse a don Gabriel,
                    mi hijo mayor, con que él
                    mi mayorazgo quedó,   80

---

77 *Pues* narrativo, como en los comienzos de los cuentos:
"Pues, señor..."

determiné que, dexada
essa professión, viniesse
a Madrid, donde estuviesse,
como es cosa acostumbrada
  entre ilustres cavalleros 85
en España; porque es bien
que las nobles casas den
a su Rey sus herederos.

  Pues como es ya don García
hombre que no ha de tener 90
maestro, y ha de correr
su govierno a cuenta mía,
  y mi paternal amor
con justa razón dessea
que, ya que el mejor no sea, 95
no le noten por peor,
  quiero, señor Licenciado,
que me diga claramente
sin lisonja, lo que siente
(supuesto que le ha crïado) 100
  de su modo y condición,
de su trato y exercicio,
y a qué género de vicio
muestra más inclinación.

  Si tiene alguna costumbre 105
que yo cuyde de enmendar,
no piense que me ha de dar
con dezirlo pesadumbre:
  que él tenga vicio es forçoso;
que me pese, claro está; 110
mas saberlo me será
útil, quando no gustoso.
  Antes en nada, a fe mía,
hazerme puede mayor

son moços, gastan humor,
sigue cada qual su gusto;
hazen donayre del vicio,
gala de la travesura,
grandeza de la locura: 175
haze, al fin, la edad su oficio.
    Mas, en la Corte, mejor
su enmienda esperar podemos,
donde tan validas vemos
las escuelas del honor.   180

D. BELTRÁN.   Casi me mueve a reyr
ver quán ignorante está
de la Corte. ¿Luego acá
no ay quien le enseñe a mentir?
    En la Corte, aunque aya sido   185
un estremo don García,
ay quien le dé cada día
mil mentiras de partido.
    Y si aquí miente el que está
en un puesto levantado,   190
en cosa en que al engañado
la hazienda o honor le va,
    ¿no es mayor inconveniente
quien por espejo está puesto
al reyno? Dexemos esto,   195
que me voy a maldiziente.
    Como el toro a quien tiró
la vara una diestra mano

---

171 *Gastan humor*, véase *Paredes oyen*, v. n. 1617.
188 *Mil mentiras de partido:* dar de partido, de ventaja,
mil mentiras, y todavía ganarle sobre ellas.
197 *Los favores del mundo*, III, 6:

          "Como el toro a quien tiró
          la vara una diestra mano,

> arremete al más cercano
> sin mirar a quien le hirió,
> assí yo, con el dolor
> que esta nueva me ha causado,
> en quien primero he encontrado
> executé mi furor.

200

> arremete al más cercano,
> sin buscar a quien le hirió.
> Su alteza, con el dolor
> que esta nueva le ha causado,
> en nosotros ha vengado
> los agravios de su amor."

Antes (I, xx):

> "Acosado
> toro embestimos, señor."

En *Mudarse por mejorarse*, II, 11:

> "Eso sí; imita al toro embravecido:
> el que la vara le tiró, se escapa.
> Véngate agora en mí, que soy la capa."

Compárense estos pasajes con Lope de Vega, *El Peregrino en su patria* (Sevilla, Clemente Hidalgo, 1604), folio 75 vuelto: "No lo huve sentido cuando, como celoso toro que en los árboles de los caminos executa su furia, a oras estraordinarias rompía sus ventanas y puertas."

Y, por la construcción de la metáfora, también cierto pasaje de *El Hijo pródigo*, de Lope (edición académica, II, 59 b):

> "Como el caballo, animado
> del trompeta, acometió,
> así de tus voces yo,
> rompiendo el temor helado..."

Parece lugar derivado de la épica erudita. Véase Ercilla, *Araucana*, III, edición académica, Madrid, 1866, pág. 58:

> "Como el caimán", etc.

Y, también, pág. 68:

Créame, que si García   205
mi hazienda, de amores ciego,
dissipara, o en el juego
consumiera noche y día;
    si fuera de ánimo inquieto
y a pendencias inclinado,   210
si mal se huviera casado,
si se muriera, en efeto,
    no lo llevara tan mal
como que su falta sea
mentir. ¡Qué cosa tan fea!   215
¡Qué opuesta a mi natural!
    Aora bien: lo que he de hazer
es casarle brevemente,
antes que este inconveniente
conocido venga a ser.   220
    Yo quedo muy satisfecho
de su buen zelo y cuydado,
y me confiesso obligado
del bien que en esto me ha hecho.

"Como el furioso toro que, apremiado
con fuerte amarra al palo, está bramando,
de la tímida gente rodeado", etc.

Canto IV, pág. 86.

"Como el aliento y fuerzas van faltando
a dos valientes toros animosos", etc.

Canto V, pág. 102:

"Como el feroz caballo que, impaciente", etc.

Canto VI, pág. 121:

"Cual banda de cornejas esparcidas..."

Los ejemplos abundan en *La Araucana*. La comparación
zoológica constituye un rasgo típico del estilo de Ercilla.
217 "Aora bien", ed. 1634.

¿Quándo ha de partir?

                             Querría   225
luego.

D. BELTRÁN.   ¿No descansará
algún tiempo y gozará
de la Corte?

LETRADO.   Dicha mía
fuera quedarme con vos;
pero mi oficio me espera.   230

D. BELTRÁN. Ya entiendo: volar quisiera
porque va a mandar.—Adiós. *(Vase.)*

LETRADO.   Guárdeos Dios.—Dolor extraño
le dió al buen viejo la nueva.
Al fin, el más sabio lleva   235
agramente un desengaño.   *(Vase.)*

[*Las platerías.*]

[ESCENA III]

(*Salen* DON GARCÍA, *de galán, y* TRISTÁN.)

D. GARCÍA.   ¿Dízeme bien este trage?

TRISTÁN.   Divinamente, señor.
¡Bien huviesse el inventor
deste olandesco follaje!   240
Con un cuello apanalado,
¿qué fealdad no se enmendó?

236-7 Véase el paseo de la calle Mayor en *El Diablo Cojuelo*, edición A. Bonilla, pág. 70.

Además, *Las paredes oyen*, v. n. 869.

ESCENA III.—Sucede al día siguiente de las dos anteriores. Véase v. n. 485.

240 *Olandesco follaje:* cuello de Holanda.

241 *Apanalado,* y no acanalado, como ponen los editores

Yo sé una dama a quien dió
cierto amigo gran cuydado
　　mientras con cuello le vía;   245
y una vez que llegó a verle
sin él, la obligó a perderle
quanta afición le tenía,
　　porque ciertos costurones
en la garganta cetrina   250
publicaban la ruyna
de pasados lamparones.
　　Las narizes le crecieron,
mostró un gran palmo de oreja,
y las quixadas, de vieja,   255
en lo enxuto, parecieron.
　　Al fin el galán quedó
tan otro del que solía,
que no le conocería
la madre que le parió.   260

D. GARCÍA.　　Por essa y otras razones
me holgara de que saliera
premática que impidiera
essos vanos cangilones.
　　Que, demás de essos engaños,   265
con su olanda el estrangero
saca de España el dinero
para nuestros proprios daños.
　　Una baloncilla angosta,
usándose, le estuviera   270

---

modernos: "que forma celdicas como panal", dice la Academia.

　　263-269　Sabido es que las modas se gobernaban por premáticas. La de 1623 ordenó el uso de las valonas sencillas.
Entre las "figurerías" que Gracián censura en *El Discreto*
(1646, Realce XVI), dice que hay "quien en la campaña sale
con golilla, y en la corte con valona".

bien al rostro, y se anduviera
más a gusto a menos costa.

    Y no que, con tal cuydado
sirve un galán a su cuello,
que, por no descomponello,   275
se obliga a andar empalado.

TRISTÁN.   Yo sé quien tuvo ocasión
de gozar su amada bella,
y no osó llegarse a ella
por no ahujar un cangilón.   280

    Y esto me tiene confuso:
todos dizen que se holgaran
de que balonas se usaran,
y nadie comiença el uso.

D. GARCÍA.   De governar nos dexemos   285
el mundo. ¿Qué ay de mugeres?

TRISTÁN. ¿El mundo dexas y quieres
que la carne governemos?
    ¿Es más fácil?

D. GARCÍA.   Más gustoso.

TRISTÁN. ¿Eres tierno?

D. GARCÍA.   Moço soy.   290

TRISTÁN. Pues en lugar entras oy
donde Amor no vive ocioso.

    Resplandecen damas bellas
en el cortesano suelo,
de la suerte que en el cielo   295
brillan luzientes estrellas.

---

280   *Ahujar:* tal vez mala lectura, por *ahajar*, ajar.
290   Véase *Las paredes oyen*, v. n. 1607:

       "—¿Tierno sois?

              —¿Es contra ley?"

291 y sigts.   Véase *Las paredes oyen*, v. n. 743.

En el vicio y la virtud
y el estado ay diferencia,
como es varia su inflüencia,
resplandor y magnitud.   300

Las señoras, no es mi intento
que en este número estén,
que son ángeles a quien
no se atreve el pensamiento.

Sólo te diré de aquéllas   305
que son, con almas livianas,
siendo divinas, humanas;
corruptibles, siendo estrellas.

Bellas casadas verás,
conversables y discretas,   310
que las llamo yo planetas
porque resplandecen más.

Éstas, con la conjunción
de maridos placenteros,
influyen en extrangeros   315
dadivosa condición.

Otras ay cuyos maridos
a comissiones se van,
o que en las Indias están,
o en Italia, entretenidos.   320

No todas dizen verdad
en esto, que mil taymadas
suelen fingirse casadas
por vivir con libertad.

---

310   *Conversable.* Véase Tirso, *La villana de Vallecas*, I, 10:

"Aguardaba mi cena a un compañero
conversable, que a solas nunca trato
dar al cuerpo sustento..."

318   *Comisiones.* Véase *La prueba de las promesas*, III,
página 448 *b* (Rivad., xx):

  Verás de cautas passantes   325
hermosas rezientes hijas:
éstas son estrellas fixas,
y sus madres son errantes.
  Ay una gran multitud
de señoras del tusón,   330
que, entre cortesanas, son
de la mayor magnitud.
  Síguense tras las tusonas
otras que serlo dessean,
y, aunque tan buenas no sean, 335
son mejores que busconas.
  Éstas son unas estrellas
que dan menor claridad;
mas, en la necesidad,
te avrás de alumbrar con ellas. 340
  La buscona, no la cuento
por estrella, que es cometa;
pues ni su luz es perfeta
ni conocido su assiento.

  "—¿Qué pide?
     —Una comisión.
  —¿Qué?
    —Comisión.
      —Bien está.
  —¿Fuera de aquí?
     —En Zaragoza.
  —¿Casado?
    —Con mujer moza
y hermosa.
    —Negociará."

330 Véase la nota al *Diablo Cojuelo*, edición de A. Bonilla,
Madrid, 1910. Como hay "caballeros del toisón", hay "señoras
del tusón o tusonas". "Tundidoras de gustos" llama Quevedo
a una (*Poesías varias.* Alfay, Zaragoza, 1654: *A mi señora
doña Ana Chanflón*, etc.)

Por las mañanas se ofrece   345
amenaçando al dinero,
y, en cumpliéndose el agüero,
al punto desaparece.

Niñas salen que procuran
gozar todas ocasiones: 350
éstas son exalaciones
que, mientras se queman, duran.

Pero que adviertas es bien,
si en estas estrellas tocas,
que son estables muy pocas,   355
por más que un Perú les den.

No ignores, pues yo no ignoro,
que un signo el de Virgo es,
y los de cuernos son tres:
Aries, Capricornio y Toro.   360

Y assí, sin fïar en ellas,
lleva un presupuesto solo,
y es que el dinero es el polo
de todas estas estrellas.

D. GARCÍA.   ¿Eres astrólogo?   365
TRISTÁN.   Ohí,

---

364 y sigts. Se ha llegado a suponer que este criado con
letras de las comedias de Alarcón tiene algo de real. En todo
caso, es un lugar común del teatro, cuya tradición remonta,
por lo menos, a Torres Naharro, *Comedia Jacinta*, I:

"—Sino que, para quien eres,
me pareces muy letrado.
—No t'engañes, si te engañas;
que si tengo algún saber,
primero fuí bachiller
que pastor de las montañas."

Y en la jornada V:

"—Sé mil cosas especiales
d'achaque d'astrología."

365 *Oír* era asistir a clase; y *leer*, enseñar.

                el tiempo que pretendía
                en Palacio, Astrología.

D. GARCÍA.   ¿Luego has pretendido?

TRISTÁN.   Fuí
                pretendiente por mi mal.

D. GARCÍA.   ¿Cómo en servir has parado?   370

TRISTÁN.   Señor, porque me han faltado
                la fortuna y el caudal;
                  aunque quien te sirve, en vano
                por mejor suerte suspira.

D. GARCÍA.   Dexa lisonjas y mira   375
                el marfil de aquella mano;
                  el divino resplandor
                de aquellos ojos, que, juntas,
                despiden entre las puntas
                flechas de muerte y amor.   380

TRISTÁN.   ¿Dizes aquella señora
                que va en coche?

D. GARCÍA.   Pues ¿quál
                merece alabança ygual?

TRISTÁN.   ¡Qué bien encaxaba agora
                  esto de coche de sol,   385
                con todos sus adherentes
                de rayos de fuego ardientes
                y deslumbrante arrebol!

D. GARCÍA.   ¿La primer dama que vi
                en la Corte me agradó?   390

TRISTÁN.   La primera en tierra.

D. GARCÍA.   No:
                la primera en cielo, sí,

---

391 *La primera en tierra*. El Diccionario de la Academia
trae: "La primera, y ésa, en tierra." Equivale a: "Al primer
tapón, zurrapas."

	que es divina esta muger.	
TRISTÁN.	Por puntos las toparás	
	tan bellas, que no podrás	395
	ser firme en un parecer.	
	Yo nunca he tenido aquí	
	constante amor ni desseo,	
	que siempre por la que veo	
	me olvido de la que vi.	400
D. GARCÍA.	¿Dónde ha de aver resplandores	
	que borren los de estos ojos?	
TRISTÁN.	Míraslos ya con antojos,	
	que hazen las cosas mayores.	
D. GARCÍA.	¿Conoces, Tristán?...	
TRISTÁN.	No humanes	405
	lo que por divino adoras;	
	porque tan altas señoras	
	no tocan a los Tristanes.	
D. GARCÍA.	Pues yo, al fin, quien fuere, sea,	
	la quiero y he de servilla.	410
	Tú puedes, Tristán, seguilla.	
TRISTÁN.	Detente, que ella se apea	
	en la tienda.	
D. GARCÍA.	Llegar quiero.	
	¿Úsase en la corte?	
TRISTÁN.	Sí,	

---

394   *Por puntos.* Véase *Las paredes oyen*, v. n. 555.

"Por *puntos* te he de escribir".

Lope, *El ausente en el lugar*, I, 13:

    "Que quien tiene en Argel el cuerpo preso,
    tendrá, por puntos, en su tierra el alma."

Vale: "sin cesar" y "frecuentemente".
403   "Mirarlos", ed. 1634.

| | con la regla que te di | 415 |
| | de que es el polo el dinero. | |

D. GARCÍA.   Oro traigo.

TRISTÁN.   ¡Cierra, España!
que a César llevas contigo.
Mas mira si en lo que digo
mi pensamiento se engaña;   420
   advierte, señor, si aquélla
que tras ella sale agora
puede ser sol de su aurora,
ser aurora de su estrella.

D. GARCÍA.   Hermosa es también.

TRISTÁN.   Pues mira   425
si la crïada es peor.

D. GARCÍA.   El coche es arco de amor,
y son flechas quantas tira.
   Yo llego.

TRISTÁN.   A lo dicho advierte...

D. GARCÍA.   ¿Y es...?

TRISTÁN.   Que a la mujer rogando,   430
y con el dinero dando.

D. GARCÍA.   ¡Consista en esso mi suerte!

TRISTÁN.   Pues yo, mientras hablas, quiero
que me haga relación
el cochero de quién son.   435

D. GARCÍA.   ¿Dirálo?

TRISTÁN.   Sí, que es cochero. *(Vase.)*

---

430   A Dios rogando y con el mazo dando. Véase *La prueba de las promesas*, III (Rivad., xx), pág. 446 *a*:

    "Esto sí es negociar, y esto se llama
    a Dios rogando y el dinero dando."

436   Véase *Las paredes oyen*, v. n. 1899:

[ESCENA IV]

(Salen JACINTA, LUCRECIA, ISABEL, *con mantos; cae* JACINTA,
y llega DON GARCÍA *y dale la mano.)*

JACINTA.	¡Válgame Dios!
D. GARCÍA.	Esta mano

    os servid de que os levante,
    si merezco ser Atlante
    de un cielo tan soberano.   440

JACINTA.   Atlante devéys de ser,
    pues lo llegáys a tocar.

D. GARCÍA. Una cosa es alcançar
    y otra cosa merecer.

    ¿Qué vitoria es la beldad   445
    alcanzçar, por quien me abraso,
    si es favor que devo al caso,
    y no a vuestra voluntad?

    Con mi propia mano así
    el cielo; mas ¿qué importó,   450
    si ha sido porque él cayó,
    y no porque yo subí?

JACINTA.   ¿Para qué fin se procura
    merecer?

      "El primer cochero agora
      no será que a su señora
      haya servido de Judas."

En *los favores del mundo*, I, 1:

    "—Al descuido has de acercarte...
                    —El cochero
    me dirá cómo se llama".

Y en I, 3:

              "—... sin duda alguna;
    que yo pregunté al cochero
    quién es este caballero,
    y dijo: "Don Juan de Luna".

D. GARCÍA.   Para alcançar.
JACINTA.   Llegar al fin, sin passar   455
                  por los medios, ¿no es ventura?
D. GARCÍA.   Sí.
JACINTA.   .   Pues ¿cómo estáys quexoso
                  del bien que os ha sucedido,
                  si el no averlo merecido
                  os haze más venturoso?   460
D. GARCÍA.   Porque, como las acciones
                  del agravio y el favor
                  reciben todo el valor
                  sólo de las intenciones,
                      por la mano que os toqué   465
                  no estoy yo favorecido,
                  si averlo vos consentido
                  con essa intención no fué.
                      Y, assí, sentir me dexad
                  que, quando tal dicha gano,   470
                  venga sin alma la mano
                  y el favor sin voluntad.
JACINTA.   Si la vuestra no sabía,
                  de que agora me informáys,
                  injustamente culpáys   475
                  los defetos de la mía.

[ESCENA V]

(Sale TRISTÁN.) *

TRISTÁN.   [Ap.] El cochero hizo su oficio:
                  nuevas tengo de quién son.—
D. GARCÍA.   ¿Que hasta aquí de mi afición
                  nunca tuvistes indicio?   480

___

* Salen TRISTÁN y DON GARCÍA, dice, equivocadamente,
la ed. 1634.

Jacinta.	¿Cómo, si jamás os vi?
D. García.	¿Tampoco ha valido ¡ay Dios! más de un año que por vos he andado fuera de mí?
Tristán.	*(Ap.)* ¿Un año, y ayer llegó a la Corte?—
Jacita.	¡Bueno a fe! ¿Más de un año? Juraré que no os vi en mi vida yo.
D. García.	Quando del indiano suelo por mi dicha llegué aquí, la primer cosa que vi fué la gloria de esse cielo. Y aunque os entregué al momento el alma, avéyslo ignorado porque ocasión me ha faltado de deziros lo que siento.
Jacinta.	¿Soys indiano?
D. García.	Y tales son mis riquezas, pues os vi, que al minado Potosí le quito la presunción.
Tristán.	*(Ap.)* ¿Indiano?—
Jacinta.	¿Y sois tan guardoso como la fama los haze?
D. García.	Al que más avaro nace, haze el amor dadivoso.
Jacinta.	¿Luego, si dezís verdad, preciosas ferias espero?
D. García.	Si es que ha de dar el dinero crédito a la voluntad, serán pequeños empleos, para mostrar lo que adoro, daros tantos mundos de oro como vos me days desseos.

485

490

495

500

505

510

	Mas ya que ni al merecer	
	de essa divina beldad,	
	ni a mi inmensa voluntad	515
	ha de ygualar el poder,	
	por los menos os servid	
	que esta tienda que os franqueo	
	dé señal de mi deseo.	
JACINTA.	[*Ap.*] No vi tal hombre en Madrid.	520
	Lucrecia, ¿qué te parece	
	del indiano liberal?	
LUCRECIA.	Que no te parece mal,	
	Jacinta, y que lo merece.—	
D. GARCÍA.	Las joyas que gusto os dan,	525
	tomad deste aparador.	
TRISTÁN.	[*Ap. a su amo.*]	
	Mucho te arrojas, señor.—	
D. GARCÍA.	[*A* TRISTÁN.] ¡Estoy perdido, Tristán!—	
ISABEL.	[*Ap. a las damas.*]	
	Don Juan viene.—	
JACINTA.	Yo agradezco,	
	señor, lo que me ofrecéys.	530
D. GARCÍA.	Mirad que me agraviaréys	
	si no logáis lo que ofrezco.	
JACINTA.	Yerran vuestros pensamientos,	
	cavallero, en presumir	
	que puedo yo recebir	535
	más que los ofrecimientos.	
D. GARCÍA.	Pues ¿qué ha alcançado de vos	
	el coraçón que os he dado?	

---

525 *Ganar amigos,* I, 3:

"Mas, puesto que no hay hacienda
que iguale a tanta beldad,
si lo merezco, tomad
lo que os sirváis de la tienda."

JACINTA.	El averos escuchado.
D. GARCÍA.	Yo lo estimo.
JACINTA.	Adiós.
D. GARCÍA.	Adiós, 540

y para amaros me dad
licencia.

JACINTA.   Para querer,
no pienso que ha menester
licencia la voluntad.

(Vanse las mugeres.)

[ESCENA VI]

[Don García, Tristán.]

D. GARCÍA.	Síguelas.
TRISTÁN.	Si te fatigas, 545

señor, por saber la casa
de la que en amor te abrasa,
ya la sé.

D. GARCÍA.   Pues no las sigas;
que suele ser enfadosa
la diligencia importuna.   550

TRISTÁN. "Doña Lucrecia de Luna
se llama la más hermosa,
que es mi dueño; y la otra dama
que acompañándola viene,
sé dónde la casa tiene;   555
mas no sé cómo se llama."
Esto respondió el cochero.

D. GARCÍA. Si es Lucrecia la más bella,
no ay más que saber, pues ella
es la que habló, y la que quiero;   560
que, como el autor del día
las estrellas dexa atrás,

de essa suerte a las demás,
la que me cegó, vencía.

TRISTÁN.   Pues a mí la que calló   565
me pareció más hermosa.

D. GARCÍA.   ¡Qué buen gusto!

TRISTÁN.   Es cierta cosa
que no tengo voto yo.

Mas soy tan aficionado
a cualquier muger que calla,   570
que bastó para juzgalla
más hermosa aver callado.

Mas dado, señor, que estés
errado tú, presto espero,
preguntándole al cochero   575
la casa, saber quién es.

D. GARCÍA.   Y Lucrecia, ¿dónde tiene
la suya?

TRISTÁN.   Que a la Vitoria
dixo, si tengo memoria.

D. GARCÍA.   Siempre esse nombre conviene   580
a la esfera venturosa
que da eclyptica a tal luna.

---

578   Véase Tirso, *La celosa de sí misma*, I, 1:

"—¿Qué iglesia es ésta?
                    —Se llama
la Vitoria, y toda dama,
de silla, coche y estrado,
la cursa."

El convento de la Victoria hacía esquina a la calle del mismo nombre y a la de Espoz y Mina.

[ESCENA VII]

(Salen Don Juan *y* Don Felis *por otra parte.)*

D. JUAN.	¿Música y cena? ¡A, fortuna!	
D. GARCÍA.	¿No es éste don Juan de Sosa?	
TRISTÁN.	El mismo.	
D. JUAN.	¿Quién puede ser	585

        el amante venturoso
        que me tiene tan zeloso?

D. FELIS.   Que lo vendréys a saber
        a pocos lances, confío.

D. JUAN.   ¡Que otro amante le aya dado,   590
        a quien mía se ha nombrado,
        música y cena en el río!

D. GARCÍA.   ¡Don Juan de Sosa!

D. JUAN.   ¿Quién es?

D. GARCÍA.   ¿Ya olvidáys a don García?

D. JUAN.   Veros en Madrid lo hazía,   595
        y el nuevo trage.

D. GARCÍA.   Después
        que en Salamanca me vistes,
        muy otro devo de estar.

D. JUAN.   Más galán soys de seglar
        que de estudiante lo fuystes.   600
        ¿Venís a Madrid de assiento?

D. GARCÍA.   Sí.

D. JUAN.   Bien venido seáys.

D. GARCÍA.   Vos, don Felis, ¿cómo estáys?

D. FELIS.   De veros, por Dios, contento.
        Vengáys bueno en hora buena.   605

D. GARCÍA.   Para serviros.—¿Qué hazéys?
        ¿De qué habláys? ¿En qué entendéys?

D. JUAN.   De cierta música y cena

que en el río dió un galán
esta noche a una señora, 610
era la plática agora.

D. GARCÍA.   ¿Música y cena, don Juan?
¿Y anoche?

D. JUAN.   Sí.

D. GARCÍA.   ¿Mucha cosa?
¿Grande fiesta?

D. JUAN.   Assí es la fama.

D. GARCÍA.   ¿Y muy hermosa la dama? 615

D. JUAN.   Dízenme que es muy hermosa.

D. GARCÍA.   ¡Bien!

D. JUAN.   ¿Qué mysterios hazéys?

D. GARCÍA.   De que alabéys por tan buena
essa dama y essa cena,
si no es que alabando estéys 620
mi fiesta y mi dama assí.

D. JUAN.   ¿Pues tuvistes también boda
anoche en el río?

D. GARCÍA.   Toda
en esso la consumí.

TRISTÁN.   (Ap.) ¿Qué fiesta o qué dama es ésta, 625
si a la Corte llegó ayer?—

D. JUAN.   ¿Ya tenéys a quien hazer,
tan rezién venido, fiesta?
Presto el amor dió con vos.

D. GARCÍA.   No ha tan poco que he llegado 630
que un mes no aya descansado.

TRISTÁN.   (Ap.) ¡Ayer llegó, voto a Dios!
Él lleva alguna intención.—

D. JUAN.   No lo he sabido, a fe mía,
que al punto acudido avría 635
a cumplir mi obligación.

D. GARCÍA.   He estado hasta aquí secreto.

D. JUAN.   Essa la causa avrá sido

de no averlo yo sabido.
Pero la fiesta, ¿en efeto   640
 fué famosa?

D. GARCÍA.   Por ventura,
no la dió mejor el río.

D. JUAN. (Ap.) Ya de zelos desvarío!—
¿Quién duda que la espessura
 del Sotillo el sitio os dió?   645

D. GARCÍA. Tales señas me vays dando,
don Juan, que voy sospechando
que la sabéys como yo.

D. JUAN. No estoy de todo ignorante,
aunque todo no lo sé: 650
dixéronme no sé qué,
confusamente, bastante
 a tenerme desseoso
de escucharos la verdad,
forçosa curiosidad   655
en un cortesano ocioso...
(Ap.) O en un amante con zelos.—

D. FELIS. (A DON JUAN ap.)
Advertid quán sin pensar
os han venido a mostrar
vuestro contrario los cielos.—   660

D. GARCÍA. Pues a la fiesta atended:
contaréla, ya que veo
que os fatiga esse desseo.

D. JUAN. Haréysnos mucha merced.

D. GARCÍA. Entre las opacas sombras   665
y opacidades espessas

---

645 Sobre el Sotillo y las fiestas que en él se hacían,
véase J. de Zabaleta, *El día de fiesta por la tarde* (1658).
Vélez de Guevara dice que el Manzanares es "el más meren-
dado y cenado de quantos ríos ay en el mundo". (Véase *Diablo
Cojuelo*, edición Bonilla, pág. 86 y la nota correspondiente.)

que el soto formava de olmos
y la noche de tinieblas,
se ocultava una quadrada,
limpia y olorosa mesa,   670
a lo italiano curiosa,
a lo español opulenta.
En mil figuras prensados
manteles y servilletas,
sólo invidiaron las almas   675
a las aves y a las fieras.
Quatro aparadores puestos
en quadra correspondencia,
la plata blanca y dorada,
vidrios y barros ostentan.   680
Quedó con ramas un olmo
en todo el Sotillo apenas,
que dellas se edificaron,
en varias partes, seys tiendas.
Quatro coros diferentes   685
ocultan las quatro dellas;
otra, principios y postres,
y las vïandas, la sesta.
Llegó en su coche mi dueño,
dando embidia a las estrellas;   690
a los ayres, suavidad,
y alegría a la ribera.
Apenas el pie que adoro
hizo esmeraldas la yerva,
hizo crystal la corriente,   695
las arenas hizo perlas,
quando, en copia disparados
cohetes, bombas y ruedas,
toda la región del fuego
baxó en un punto a la tierra.   700

688   Ed. 1634: *la cesta.*

Aun no las sulfúreas luzes
se acabaron, quando empieçan
las de veynte y quatro antorchas
a obscurecer las estrellas.
Empeçó primero el coro   705
de chirimías; tras ellas,
el de las vigüelas de arco
sonó en la segunda tienda.
Salieron con suavidad
las flautas de la tercera,   710
y, en la quarta, quatro vozes,
con guitarras y arpas suenan.
Entre tanto, se sirvieron
treynta y dos platos de cena,
sin los principios y postres,   715
que casi otros tantos eran.
Las frutas y las bevidas,
en fuentes y taças hechas
del cristal que da el invierno
y el artificio conserva,   720
de tanta nieve se cubren,
que Mançanares sospecha,
quando por el Soto passa,
que camina por la sierra.
El olfato no está ocioso   725
quando el gusto se recrea,
que de espíritus süaves,
de pomos y caçolejas
y distilados sudores
de aromas, flores y yervas,   730

---

719 y sigts. Alude a los "pozos de nieve" que puso de moda
Pablo Charquias, calle de Fuencarral (1606). Sin embargo, ya
Pero Mexía dice en sus *Diálogos* (1547): "Ya no había los
estremos de ahora, ni las invenciones de los salitres, ni nieves,
ni los pozos, ni sótanos."

en el Soto de Madrid
se vió la región sabea.
En un hombre de diamantes,
delicadas de oro flechas,
que mostrasen a mi dueño   735
su crueldad y mi firmeza,
al sauce, al junco y al mimbre
quitaron su preeminencia:
que han de ser oro las pajas
quando los dientes son perlas.   740
En esto, juntas en folla,
los cuatro coros comiençan,
desde conformes distancias,
a suspender las esferas;
tanto que, invidioso Apolo,   745
apressuró su carrera,
porque el principio del día
pusiesse fin a la fiesta.

D. JUAN.   ¡Por Dios, que la avéys pintado
de colores tan perfetas,   750
que no trocara el oyrla
por averme hallado en ella.

TRISTÁN.   *(Ap.)* ¡Válgate el diablo por hombre!
¡Que tan de repente pueda
pintar un combite tal   755
que a la verdad misma vença!—

D. JUAN.   *(Ap. a* DON FELIS.)
¡Rabio de zelos!

D. FELIS.   No os dieron
del combite tales señas.

733-740 Zabaleta dice que ciertas damas llevaban "al lado
del corazón colgado un mondadientes de oro" (cit. por Barry).

En Tirso, *Palabras y plumas*, "Gerardo" se ve obligado a
vender botones y palillos de dientes para mantenerse él y su
amo "don Iñigo".

D. JUAN.   ¿Qué importa, si en la substancia,
              el tiempo y lugar concuerdan?—   760
D. GARCÍA.   ¿Qué dezís?
D. JUAN.   Que fué el festín
              más célebre que pudiera
              hazer Alexandro Magno.
D. GARCÍA.   ¡O! Son niñerías éstas
              ordenadas de repente.   765
              Dadme vos que yo tuviera
              para prevenirme un día,
              que a las romanas y griegas
              fiestas que al mundo admiraron
              nueva admiración pusiera.   770

                              (Mira adentro.)

D. FELIS.   *(A* DON JUAN *ap.)*
              Jacinta es la del estribo,
              en el coche de Lucrecia.—
D. JUAN.   *(A* DON FELIS *ap.)*
              Los ojos a don García
              se le van, por Dios, tras ella.
D. FELIS.   Inquieto está y divertido.   775
D. JUAN.   Ciertas son ya mis sospechas.—

                   (Juntos DON JUAN *y* DON GARCÍA.)*

D. JUAN.   }
D. GARCÍA. } Adiós.
D. FELIS.   Entrambos a un punto
              fuistes a una cosa mesma.

                   (Vanse DON JUAN *y* DON FELIS.)*

[ESCENA VIII]

[Don García, Tristán.]

TRISTÁN.	*(Ap.)* No vi jamás despedida
	tan conforme y tan resuelta.—

780

D. GARCÍA.	Aquel cielo, primer móbil
	de mis acciones, me lleva
	arrebatado tras sí.
TRISTÁN.	Dissimula y ten paciencia,
	que el mostrarme muy amante,

785

antes daña que aprovecha,
y siempre he visto que son
venturosas las tibiezas.
Las mugeres y los diablos
caminan por una senda,

790

que a las almas rematadas
ni las siguen ni las tientan;
que el tenellas ya seguras
les haze olvidarse dellas,
y sólo de las que pueden

795

escapárseles se acuerdan.

D. GARCÍA.	Es verdad, mas no soy dueño
	de mí mismo.
TRISTÁN.	Hasta que sepas

extensamente su estado,
no te entregues tan de veras;

800

que suele dar, quien se arroja
creyendo las apariencias,
en un pantano cubierto
de verde, engañosa yerva.

---

781 y sigts. Véase *Las paredes oyen*, v. n. 470.
792 *Sientan*, por errata, en la 1634.

D. García.	Pues oy te informa de todo. 805
Tristán.	Esso queda por mi cuenta.
	Y agora, antes que rebiente,
	dime, por Dios: ¿qué fin llevas
	en las ficciones que he oydo?
	Siquiera para que pueda 810
	ayudarte, que cogernos
	en mentira será afrenta.
	Perulero te fingiste
	con las damas.
D. García.	Cosa es cierta,
	Tristán, que los forasteros 815
	tienen más dicha con ellas,
	y más si son de las Indias,
	información de riqueza.
Tristán.	Esse fin está entendido;
	mas pienso que el medio yerras, 820
	pues han de saber al fin
	quién eres.
D. García.	Quando lo sepan,
	avré ganado en su casa
	o en su pecho ya las puertas
	con esse medio, y después, 825
	yo me entenderé con ellas.
Tristán.	Digo que me has convencido,
	señor; mas agora venga
	lo de aver un mes que estás
	en la Corte. ¿Qué fin llevas, 830
	aviendo llegado ayer?
D. García.	Ya sabes tú que es grandeza
	esto de estar encubierto
	o retirado en su aldea,
	o en su casa descansando. 835
Tristán.	¡Vaya muy en hora buena!
	Lo del combite éntre agora.

D. García.   Fingílo, porque me pesa
              que piense nadie que ay cosa
              que mover mi pecho pueda   840
              a invidia o admiración,
              passiones que al hombre afrentan.
              Que admirarse es ignorancia,
              como imbidiar es baxeza.
              Tú no sabes a qué sabe,   845
              quando llega un porta nuevas
              muy orgulloso a contar
              una hazaña o una fiesta,
              taparle la boca yo
              con otra tal, que se buelva   850
              con sus nuevas en el cuerpo
              y que rebiente con ellas.
Tristán.   ¡Caprichosa prevención,
              si bien peligrosa treta!
              La fábula de la Corte   855
              serás, si la flor te entrevan.

---

856 *Entrevar la flor*, término de germanía usado en los naipes: descubrir o descomponer la trampa. V. Quevedo, *Capitulaciones de la vida de la Corte*, Rivad., XXIII, págs. 461 y siguientes.—*Entrevar* vale entender. Así en *Rinconete y Cortadillo* (Rivad. I, 137 *a*): "No entendemos...—Qué, ¿no entrevan?..." Y en *La Ilustre Fregona* (edición de "La Lectura", Francisco Rodríguez Marín, pág. 292): "... escriben trovas que no hay diablo que las entienda. Yo, a lo menos, aunque soy Barrabás..., de ninguna manera las *entrevo*".—En cierto pasaje de *El Pasajero*, de Suárez de Figueroa: "Angustiábase el corazón del favorecido por ver se le iba *descubriendo la flor*."

                "A aquél que todo robaba
                con las armas del favor,
                le han *entendido la flor*",

decía Villamediana del Duque de Lerma, cuando cayó de la privanza.

D. GARCÍA.   Quien vive sin ser sentido,
              quien sólo el número aumenta
              y haze lo que todos hazen,
              ¿en qué difiere de bestia?   860
              Ser famosos en gran cosa,
              el medio qual fuere sea.
              Nómbrenme a mí en todas partes,
              y murmúrenme siquiera;
              pues, uno, por ganar nombre,   865
              abrasó el templo de Efesia.
              Y, al fin, es éste mi gusto,
              que es la razón de más fuerça.
TRISTÁN.   Juveniles opiniones
              sigue tu ambiciosa idea,   870
              y cerrar has menester,
              en la Corte, la mollera. (Vanse.)

              [Sala en casa de DON SANCHO.]

                    [ESCENA IX]

(Y salen JACINTA y ISABEL, con mantos, y DON BELTRÁN
              y DON SANCHO.)

JACINTA.   ¿Tan grande merced?
D. BELTRÁN.   No ha sido.
              amistad de un solo día
              la que esta casa y la mía,   875
              si os acordáys, se han tenido;
              y assí, no es bien que estrañéys
              mi visita.
JACINTA.   Si me espanto
              es, señor, por aver tanto
              que merced no nos hazéys.   880

─────────────────────────────
  865 Erostrato.

Perdonadme que, ignorando
el bien que en casa tenía,
me tardé en la Platería,
ciertas joyas concertando.

D. BELTRÁN. Feliz pronóstico days   885
al pensamiento que tengo,
pues quando a casaros vengo
comprando joyas estáys.

Con don Sancho, vuestro tío,
tengo tratado, señora,   890
hazer parentesco agora
nuestra amistad, y confío

(puesto que, como discreto,
dize don Sancho que es justo
remitirse a vuestro gusto)   895
que esto ha de tener efeto.

Que, pues es la hazienda mía
y calidad tan patente,
sólo falta que os contente
la persona de García.   900

Y aunque ayer a Madrid vino
de Salamanca el mancebo,
y de invidia el rubio Febo
le ha abrasado en el camino,

bien me atreveré a ponello   905
ante vuestros ojos claros,

906 Sobre los ojos verdes y los ojos negros, véase el *Quijote*, edición Rodríguez Marín de "La Lectura", V. 201-2,
nota. Alarcón gusta todavía de los "ojos claros", como G. de
Cetina, a pesar de Tirso, *Antona García*, III:

"Celebraban los amantes
los verdes y azules antes;
ya solamente se aprueba
el ojo negro rasgado."

La Fílis (Elena Osorio) y la Amarilis (Marta de Nevares),
de Lope de Vega, tenían ojos claros y pestañas negras.

fiando que ha de agradaros
desde la planta al cabello,
si licencia le otorgáys
para que os bese la mano.   910

JACINTA.   Encarecer lo que gano
en la mano que me days,
    si es notorio, es vano intento,
que estimo de tal manera
las prendas vuestras, que diera   915
luego mi consentimiento,
    a no aver de parecer
—por mucho que en ello gano—
arrojamiento liviano
en una honrada mujer.   920
    Que el breve determinarse
es cosa de tanto peso,
o es tener muy poco seso
o gran gana de casarse.
    Y en quanto a que yo lo vea   925
me parece, si os agrada,
que, para no arriesgar nada,
passando la calle sea.
    Que si, como puede ser
y sucede a cada passo,   930
después de tratarlo, acaso
se viniesse a deshazer,
    ¿de qué me huvieran servido,
o que opinión me darán
las visitas de un galán   935
con licencias de marido?

_____

936   Véase *Los favores del mundo*, I, 17:
      "A quien nunca fué admitido
      pretendiente ni galán,
      decid: ¿qué leyes le dan
      las licencias de marido?"

D. BELTRÁN.	Ya por vuestra gran cordura,
	si es mi hijo vuestro esposo,
	le tendré por tan dichoso
	como por vuestra hermosura.	940
D. SANCHO.	De prudencia puede ser
	un espejo la que oys.
D. BELTRÁN.	No sin causa os remitís,
	don Sancho, a su parecer.
	Esta tarde, con García,	945
	a cavallo passaré
	vuestra calle.
JACINTA.	Yo estaré
	detrás de essa celosía.
D. BELTRÁN.	Que le miréys bien os pido,
	que esta noche he de bolver,	950
	Jacinta hermosa, a saber
	cómo os aya parecido.
JACINTA.	¿Tan apriessa?
D. BELTRÁN.	Este cuydado
	no admiréys, que es ya forçoso;
	pues si vine desseoso,	955
	buelvo agora enamorado.
	Y adiós.
JACINTA.	Adiós.
D. BELTRÁN.	[A D. SANCHO.] ¿Dónde vays?
D. SANCHO.	A serviros.
D. BELTRÁN.	No saldré. *(Vase.)*
D. SANCHO.	Al corredor llegaré
	con vos, si licencia days. *(Vase.)*	960

---

955 Pues si *viene*, en ed. 1634, por errata.
958 Aquí y en el v. n. 2831 *servir* vale "acompañar a la puerta o encaminar".

[ESCENA X]

[Jacinta, Isabel.]

ISABEL.	Mucha priessa te da el viejo.
JACINTA.	Yo se la diera mayor,

pues también le está a mi honor,
si a diferente consejo
no me obligara el amor;   965

   que, aunque los impedimentos
del hábito de don Juan
—dueño de mis pensamientos—
forçosa causa me dan
de admitir otros intentos,   970

   como su amor no despido,
por mucho que lo deseo
—que vive en el alma asido—,
tiemblo, Isabel, quando creo
que otro ha de ser mi marido.   975

ISABEL.   Yo pensé que ya olvidavas
a don Juan, viendo que davas
lugar a otras pretensiones.

JACINTA. Cáusanlo estas ocasiones,
Isabel, no te engañavas.   980

   Que como ha tanto que está
el hábito detenido,
y no ha de ser mi marido
si no sale, tengo ya
este intento por perdido.   985

   Y, assí, para no morirme,
quiero hablar y divertirme,
pues en vano me atormento;
que en un impossible intento
no apruevo el morir de firme.   990

Por ventura encontraré
alguno que tal merezca,
que mano y alma le dé.

ISABEL.   No dudo que el tiempo ofrezca
sujeto digno a tu fe;   995
y, si no me engaño yo,
oy no te desagradó
el galán indiano.

JACINTA.   Amiga,
¿quieres que verdad te diga?
Pues muy bien me pareció.   1000
Y tanto, que te prometo
que si fuera tan discreto,
tan gentilhombre y galán
el hijo de don Beltrán,
tuviera la boda efeto.   1005

ISABEL.   Esta tarde le verás
con su padre por la calle.

JACINTA.   Veré sólo el rostro y talle;
el alma, que importa más,
quisiera ver con hablalle.   1010

ISABEL.   Háblale.

JACINTA.   Hase de ofender
don Juan si llega a sabello,
y no quiero, hasta saber
que de otro dueño he de ser,
determinarme a perdello.   1015

ISABEL.   Pues da algún medio, y advierte
que siglos passas en vano,
y conviene resolverte,
que don Juan es, desta suerte,
el perro del hortelano.   1020
Sin que lo sepa don Juan
podrás hablar, si tú quieres,
al hijo de don Beltrán;

	que, como en su centro, están	
	las traças en las mugeres.	1025
JACINTA.	Una pienso que podría	
	en este caso importar.	
	Lucrecia es amiga mía:	
	ella puede hazer llamar	
	de su parte a don García;	1030
	que, como secreta esté	
	yo con ella en su ventana,	
	este fin conseguiré.	
ISABEL.	Industria tan soberana	
	sólo de tu ingenio fué.	1035
JACINTA.	Pues parte al punto, y mi intento	
	le di a Lucrecia, Isabel.	
ISABEL.	Sus alas tomaré al viento.	
JACINTA.	La dilación de un momento	
	le di que es un siglo en él.	1040

[ESCENA XI]

(DON JUAN *encuentra a* ISABEL *al salir.*—[JACINTA.])

D. JUAN.	¿Puedo hablar a tu señora?	
ISABEL.	Sólo un momento ha de ser,	
	que de salir a comer	
	mi señor don Sancho es hora. *(Vase.)*	
D. JUAN.	Ya, Jacinta, que te pierdo,	1045
	ya que yo me pierdo, ya...	
JACINTA.	¿Estás loco?	
D. JUAN.	¿Quién podrá	
	estar con tus cosas cuerdo?	
JACINTA.	Repórtate y habla passo,	
	que está en la quadra mi tío.	1050

1050 *Cuadra* es una habitación cuadrada.

D. JUAN. Quando a cenar vas al río,
 ¿cómo hazes dél poco caso?

JACINTA. ¿Qué dices? ¿Estás en ti?

D. JUAN. Quando para trasnochar
 con otro tienes lugar, 1055
 ¿tienes tío para mí?

JACINTA. ¿Trasnochar con otro? Advierte
 que, aunque esso fuesse verdad,
 era mucha libertad
 hablarme a mí de essa suerte; 1060
  quanto más que es desvarío
 de tu loca fantasía.

D. JUAN. Ya sé que fué don García
 el de la fiesta del río;
  ya los fuegos que a tu coche, 1065
 Jacinta, la salva hizieron;
 ya las antorchas que dieron
 sol al soto a media noche;
  ya los quatro aparadores
 con vaxillas varïadas; 1070
 las quatro tiendas pobladas
 de instrumentos y cantores.
  Todo lo sé; y sé que el día
 te halló, enemiga, en el río:
 di agora que es desvarío 1075
 de mi loca fantasía.
  Di agora que es libertad
 el tratarte desta suerte,
 quando obligan a ofenderte
 mi agravio y tu liviandad. 1080

JACINTA. ¡Plega a Dios!...

D. JUAN.   Dexa invenciones;
 calla, no me digas nada,
 que en ofensa averiguada
 no sirven satisfaciones.

Ya, falsa, ya sé mi daño;   1085
no niegues que te he perdido;
tu mudança me ha ofendido,
no me ofende el desengaño.
Y aunque niegues lo que ohí,
lo que vi confessarás;   1090
que oy lo que negando estás
en sus mismos ojos vi.
Y su padre ¿qué quería
agora aquí? ¿Qué te dixo?
¿De noche estás con el hijo   1095
y con el padre de día?
Yo lo vi; ya mi esperança
en vano engañar dispones;
ya sé que tus dilaciones
son hijas de tu mudança.   1100
Mas, crüel, ¡viven los cielos,
que no has de vivir contenta!
Abrásete, pues rebienta,
este vulcán de mis zelos.
El que me haze desdichado   1105
te pierda, pues yo te pierdo.

JACINTA.   ¿Tú eres cuerdo?

D. JUAN.   ¿Cómo cuerdo,
amante y desesperado?

JACINTA.   Buelve, escucha; que si vale
la verdad, presto verás   1110
qué mal informado estás.

D. JUAN.   Voyme, que tu tío sale.

JACINTA.   No sale; escucha, que fío
satisfazerte.

D. JUAN.   Es es vano,
si aquí no me das la mano.   1115

JACINTA.   ¿La mano?—Sale mi tío.

ACTO SEGUNDO

[*Sala en casa de* DON BELTRÁN.]

[ESCENA I]

(*Salen* DON GARCÍA, *en cuerpo, leyendo un papel,
y* TRISTÁN *y* CAMINO.)

D. GARCÍA.   "La fuerça de una ocasión me haze
exceder del orden de mi estado. Sabrá-
la v. m. esta noche por un balcón que
le enseñará el portador, con lo demás
que no es para escrito, y guarde N. Señor..."
        ¿Quién este papel me escrive?

CAMINO.   Doña Lucrecia de Luna.

D. GARCÍA.   El alma, sin duda alguna,
que dentro en mi pecho vive.   1120
        ¿No es ésta una dama hermosa
que oy, antes de medio día,
estava en la Platería?

CAMINO.   Sí, señor.

D. GARCÍA.   ¡Suerte dichosa!
        Informadme, por mi vida,   1125
de las partes desta dama.

CAMINO.   Mucho admiro que su fama
esté de vos escondida.
        Porque la avéys visto, dexo
de encarecer que es hermosa;   1130
es discreta y virtuosa;
su padre es viudo y es viejo;
        dos mil ducados de renta
los que ha de heredar serán,
bien hechos.

D. GARCÍA.	¿Oyes, Tristán?
TRISTÁN.	Oygo, y no me descontenta.
CAMINO.	En quanto a ser principal,

    ¿Oyes, Tristán?   1135

D. GARCÍA.   ¿Oyes, Tristán?   1135
TRISTÁN.   Oygo, y no me descontenta.
CAMINO.   En quanto a ser principal,
no ay que hablar: Luna es su padre
y fué Mendoça su madre,
tan finos como un coral.   1140
     Doña Lucrecia, en efeto,
merece un rey por marido.
D. GARCÍA.   ¡Amor, tus alas te pido
para tan alto sujeto!—
    ¿Dónde vive?
CAMINO.   A la Vitoria.   1145
D. GARCÍA.   Cierto es mi bien.—Que seréys,
dize aquí, quien me guïéys
al cielo de tanta gloria.
CAMINO.   Serviros pienso a los dos.
D. GARCÍA.   Y yo lo agradeceré.   1150
CAMINO.   Esta noche bolveré,
en dando las diez, por vos.
D. GARCÍA.   Esso le dad por respuesta
a Lucrecia.
CAMINO.   Adiós quedad.   *(Vase.)*

[ESCENA II]

[DON GARCÍA, TRISTÁN.]

D. GARCÍA.   ¡Cielos! ¿Qué felicidad,   1155
Amor, qué ventura es ésta?
    ¿Ves, Tristán, cómo llamó
la más hermosa el cochero
a Lucrecia, a quien yo quiero?
Que es cierto que quien me habló   1160
es la que el papel me embía.

TRISTÁN.	Evidente presunción.
D. GARCÍA.	Que la otra, ¿qué ocasión
	para escrivirme tenía?
TRISTÁN.	Y a todo mal suceder,
	presto de duda saldrás,
	que esta noche la podrás
	en la habla conocer.
D. GARCÍA.	Y que no me engañe es cierto,
	según dexó en mi sentido
	impresso el dulce sonido
	de la voz con que me ha muerto.

Line numbers: 1165, 1170

[ESCENA III]

(Sale un PAGE *con un papel; dalo a* DON GARCÍA.*)*

PAGE.	Éste, señor don García,
	es para vos.
D. GARCÍA.	No esté assí.
PAGE.	Criado vuestro nací.
D. GARCÍA.	Cúbrase, por vida mía.

Line numbers: 1175

(Lee a solas DON GARCÍA.*)*

Papel.

"Averiguar cierta cosa
importante a solas quiero
con vos. A las siete espero
en San Blas.—*Don Juan de Sosa.*"
(Ap.) ¡Válgame Dios! Desafío.
¿Qué causa puede tener

Line numbers: 1180

1180 La ermita de San Blas, en el alto de Atocha. San
Blas era lugar de campo. El desafío del acto II, 11, sucede en
la calleja de San Blas. Barry recuerda, sobre San Blas, *El
hechizado por fuerza,* de don Antonio de Zamora.

don Juan, si yo vine ayer
y él es tan amigo mío?—
　　Dezid al señor don Juan　　　　　　1185
que esto será assí.

　　　　　　　　　　　　(*Vase el* PAGE.)

TRISTÁN.　　　　　　　　　　Señor,
mudado estás de color.
¿Qué ha sido?

D. GARCÍA.　　　　　　　Nada, Tristán.

TRISTÁN.　　¿No puedo saberlo?

D. GARCÍA.　　　　　　　　No.

TRISTÁN.　　Sin duda es cosa pesada.　　　1190

　　　　　　　　　　　(*Vase* TRISTÁN.)

D. GARCÍA.　　Dame la capa y espada.—
¿Qué causa le he dado yo?

[ESCENA IV]

(*Sale* DON BELTRÁN. [DON GARCÍA; *después* TRISTÁN].)

D. BELTRÁN.　　¿García?...

D. GARCÍA.　　　　　　¿Señor?

D. BELTRÁN.　　　　　　　　　Los dos
a cavallo hemos de andar
juntos oy, que he de tratar　　　　　　1195
cierto negocio con vos.

D. GARCÍA.　　¿Mandas otra cosa?

D. BELTRÁN.　　　　　　　　¿Adónde
vays quando el sol echa fuego?

(*Sale* TRISTÁN *y dale de vestir a* DON GARCÍA.)

D. GARCÍA.　　Aquí a los trucos me llego
de nuestro vezino el Conde.　　　　　　1200

D. BELTRÁN.　　No apruevo que os arrojéys,
siendo venido de ayer,

1205

a daros a conocer
a mil que no conocéys;
    si no es que dos condiciones
guardéys con mucho cuydado,
y son: que juguéys contado
y habléys contadas razones.
    Puesto que mi parecer
es éste, hazed vuestro gusto.

D. GARCÍA.   Seguir tu consejo es justo.
D. BELTRÁN. Hazed que a vuestro plazer
    adereço se prevenga
    a un cavallo para vos.
D. GARCÍA.   A ordenallo voy.   (Vase.)
D. BELTRÁN.   Adiós.

[ESCENA V]

[DON BELTRÁN, TRISTÁN.]

D. BELTRÁN. (Ap.) ¡Que tan sin gusto me tenga
    lo que su ayo me dixo!—
    ¿Has andado con García,
    Tristán?
TRISTÁN.   Señor, todo el día.
D. BELTRÁN. Sin mirar en que es mi hijo,
    si es que el ánimo fïel
    que siempre en tu pecho he hallado
    agora no te ha faltado,
    me di lo que sientes dél.
TRISTÁN.   ¿Qué puedo yo aver sentido
    en un término tan breve?
D. BELTRÁN. Tu lengua es quien no se atreve,
    que el tiempo bastante ha sido,
        y más a tu entendimiento.

que oy te habló en la Platería　　　1330
viene a cavallo con él.
Mírale.

JACINTA. ¡Por vida mía
que dizes verdad, que es él!
¿Ay tal? ¿Cómo el embustero
se nos fingió perulero,　　　1335
si es hijo de don Beltrán?

ISABEL. Los que intentan siempre dan
gran presunción al dinero,
y con esse medio, hallar
entrada en tu pecho quiso,　　　1340
que devió de imaginar
que aquí le ha de aprovechar
más ser Midas que Narciso.

JACINTA. En dezir que ha que me vió
un año, también mintió,　　　1345
porque don Beltrán me dixo
que ayer a Madrid su hijo
de Salamanca llegó.

ISABEL. Si bien lo miras. señora,
todo verdad puede ser,　　　1350
que entonces te pudo ver,
yrse de Madrid, y agora,
de Salamanca bolver.
Y quando no, ¿qué te admira
que, quien a obligar aspira　　　1355
prendas de tanto valor,
para acreditar su amor,
se valga de una mentira?
Demás que tengo por llano,
si no miente mi sospecha,　　　1360
que no lo encarece en vano:
que hablarte oy su padre, es flecha
que ha salido de su mano.

No ha sido, señora mía,
acaso que el mismo día   1365
que él te vió y mostró quererte,
venga su padre a ofrecerte
por esposo a don García.

JACINTA.   Diçes bien; mas imagino
que el término que passó   1370
desde que el hijo me habló
hasta que su padre vino,
fué muy breve.

ISABEL.   Él conoció
quién eres; encontraría
su padre en la Platería;   1375
hablóle, y él, que no ignora
tus calidades y adora
justamente a don García,
     vino a tratarlo al momento.

JACINTA.   Al fin, como fuere, sea.   1380
De sus partes me contento;
quiere el padre, él me dessea:
da por hecho el casamiento. *(Vanse.)*

[*Paseo de Atocha.*]

[ESCENA IX]

(*Salen* DON BELTRÁN *y* DON GARCÍA.)

D. BELTRÁN.   ¿Qué os parece?

D. GARCÍA.   Que animal
no vi mejor en mi vida.   1385

D. BELTRÁN. ¡Linda bestia!

D. GARCÍA.   Corregida
de espíritu racional.
     ¡Qué contento y bizarría!

D. BELTRÁN. Vuestro hermano don Gabriel,

al glotón; el passatiempo
y el cebo de la ganancia,
a los que cursan el juego;   1455
su vengança, al homicida;
al robador, su remedio;
la fama y la presunción,
al que es por la espada inquieto.
Todos los gustos, al fin,   1460
o dan gusto o dan provecho;
mas de mentir, ¿qué se saca
sino infamia y menosprecio?

D. GARCÍA.   Quien dize que miento yo,
ha mentido.

D. BELTRÁN.   También esso   1465
es mentir, que aun desmentir
no sabéys sino mintiendo.

D. GARCÍA.   ¡Pues si days en no creerme...!

D. BELTRÁN. ¿No seré necio si creo
que vos dezís verdad solo   1470
y miente el lugar entero?
Lo que importa es desmentir
esta fama con los hechos,
pensar que éste es otro mundo,
hablar poco y verdadero;   1475
mirar que estáys a la vista
de un Rey tan santo y perfeto,
que vuestros yerros no pueden
hallar disculpa en sus yerros;
que tratáys aquí con grandes,   1480
títulos y cavalleros,
que, si os saben la flaqueza,
os perderán el respeto;
que tenéys barba en el rostro,

1477   Alusión a Felipe III.

que al lado ceñís azero, 1485
que nacistes noble al fin,
y que yo soy padre vuestro.
Y no he de deziros más,
que esta sofrenada espero
que baste para quien tiene 1490
calidad y entendimiento.
Y agora, porque entendáys
que en vuestro bien me desvelo,
sabed que os tengo, García,
tratado un gran casamiento. 1495

D. GARCÍA. *(Ap.)* ¡Ay, mi Lucrecia!

D. BELTRÁN.   Jamás
pusieron, hijo, los Cielos
tantas, tan divinas partes
en un humano sujeto,
como en Jacinta, la hija 1500
de don Fernando Pacheco,
de quien mi vejez pretende
tener regalados nietos.

D. GARCÍA. *(Ap.)* ¡Ay, Lucrecia! Si es possible,
tú sola has de ser mi dueño. 1505

D. BELTRÁN. ¿Qué es esto? ¿No respondéys?

D. GARCÍA. *(Ap.)* ¡Tuyo he de ser, vive el Cielo!

D. BELTRÁN. ¿Qué os entristecéys? Hablad;
no me tengáys más suspenso.

D. GARCÍA. Entristézcome porque es 1510
impossible obedeceros.

D. BELTRÁN. ¿Por qué?

D. GARCÍA.   Porque soy casado.

D. BELTRÁN. ¡Casado! ¡Cielos! ¿Qué es esto?
¿Cómo, sin saberlo yo?

D. GARCÍA. Fué fuerça, y está secreto. 1515

1512   Véase v. n. 1984.

D. BELTRÁN. ¡Ay padre más desdichado!

D. GARCÍA. No os aflijáys, que, en sabiendo
la causa, señor, tendréys
por venturoso el efeto.

D. BELTRÁN. Acabad, pues, que mi vida　　　　　1520
pende sólo de un cabello.

D. GARCÍA. *(Ap.)* Agora os he menester,
sutilezas de mi ingenio.

En Salamanca, señor,
ay un cavallero noble,　　　　　　　　1525
de quien es la alcuña Errera
y don Pedro el propio nombre.
A éste dió el Cielo otro cielo
por hija, pues, con dos soles,
sus dos purpúreas mexillas　　　　　1530
haze[n] claros orizontes.
Abrevio, por yr al caso,
con dezir que quantas dotes
pudo dar naturaleza
en tierna edad, la componen.　　　　1535
Mas la enemiga fortuna,
observante en su desorden,
a sus méritos opuesta,
de sus bienes la hizo pobre;
que, demás de que su casa　　　　　1540
no es tan rica como noble,
al mayorazgo nacieron,
antes que ella, dos varones.
A ésta, pues, saliendo al río,
la vi una tarde en su coche,　　　　1545
que juzgara el de Faetón
si fuesse Erídano el Tormes.

1526 *Alcuña:* alcurnia.
1546 Faetón cayó con el carro del sol en el Erídano
(el Pó).

No sé quién los atributos
del fuego en Cupido pone,
que yo, de un súbito yelo,   1550
me sentí ocupar entonces.
¿Qué tienen que ver del fuego
las inquietudes y ardores
con quedar absorta un alma,
con quedar un cuerpo inmóbil?   1555
Caso fué, verla, forçoso;
viéndola, cegar de amores;
pues, abrasado, seguirla,
júzguelo un pecho de bronze.
Passé su calle de día,   1560
rondé su puerta de noche;
con terceros y papeles,
le encarecí mis passiones;
hasta que, al fin, condolida
o enamorada, responde,   1565
porque también tiene Amor
jurisdición en los dioses.
Fuy acrecentando finezas
y ella aumentando favores,
hasta ponerme en el cielo   1570
de su aposento una noche.
Y, quando solicitavan
el fin de mi pena enorme,
conquistando honestidades,
mis ardientes pretensiones,   1575
siento que su padre viene
a su aposento: llamóle,
porque jamás tal hazía,
mi fortuna aquella noche.
Ella, turbada, animosa,   1580
¡muger al fin!, a empellones
mi casi difunto cuerpo

detrás de su lecho esconde.
Llegó don Pedro, y su hija,
fingiendo gusto, abraçole,   1585
por negar el rostro en tanto
que cobrava sus colores.
Asentáronse los dos,
y él, con prudentes razones,
le propuso un casamiento   1590
con uno de los Monroys.
Ella, honesta como cauta,
de tal suerte le responde,
que ni a su padre resista,
ni a mí, que la escucho, enoje.   1595
Despidiéronse con esto,
y, quando ya casi pone
en el umbral de la puerta
el viejo los pies, entonces...,
¡mal aya, amén, el primero   1600
que fué inventor de reloxes!,
uno que llevaba yo,
a dar començó las doze.
Oyólo don Pedro, y buelto
hazia su hija: "¿De dónde   1605
vino esse relox?", le dixo.
Ella respondió: "Embïóle,
para que se le aderecen,
mi primo don Diego Ponce,
por no aver en su lugar   1610
reloxero ni reloxes."

1591   Asonantes imperfectos.
1605   Este pasaje recuerda el caballo, las armas, la lanza,
del romance de Blanca-Niña, que descubren la presencia del
amante:

> "Blanca sois, señora mía,
> más que no el rayo del sol."

"Dádmele, dixo su padre,
porque yo esse cargo tome."
Pues entonces doña Sancha,
que éste es de la dama el nombre,   1615
a quitármele del pecho,
cauta y prevenida corre,
antes que llegar él mismo
a su padre se le antoje.
Quitémele yo, y al darle,   1620
quiso la suerte que toquen
a una pistola que tengo
en la mano los cordones.
Cayó el gatillo, dió fuego;
al tronido desmayóse   1625
doña Sancha; alborotado
el viejo, empeçó a dar vozes.
Yo, viendo el cielo en el suelo
y eclipsados sus dos soles,
juzgué sin duda por muerta   1630
la vida de mis acciones,
pensando que cometieron
sacrilegio tan enorme,
del plomo de mi pistola,
los breves, volantes orbes.   1635
Con esto, pues, despechado,
saqué rabioso el estoque:
fueran pocos para mí,
en tal ocasión, mil hombres.
A impedirme la salida,   1640
como dos bravos leones,
con sus armas sus hermanos
y sus crïados se oponen;
mas, aunque fácil por todos

1616   Ed. 1634: "quitarmela".

mi espada y mi furia rompen,   1645
no ay fuerça humana que impida
fatales disposiciones;
pues, al salir por la puerta,
como yva arrimado, asióme
la alcayata de la aldava,   1650
por los tiros del estoque.
Aquí, para desasirme,
fué fuerça que atrás me torne,
y, entre tanto, mis contrarios,
muros de espadas me oponen.   1655
En esto cobró su acuerdo
Sancha, y para que se estorve
el triste fin que prometen
estos sucessos atroces,
la puerta cerró, animosa,   1660
del aposento, y dexóme
a mí con ella encerrado,
y fuera a mis agressores.
Arrimamos a la puerta
bahules, arcas y cofres,   1665
que al fin son de ardientes yras
remedio las dilaciones.
Quisimos hazernos fuertes;
mas mis contrarios, ferozes,
ya la pared me derriban   1670
y ya la puerta me rompen.
Yo, viendo que, aunque dilate,
no es possible que revoque
la sentencia de enemigos
tan agraviados y nobles,   1675
viendo a mi lado la hermosa

1651 *Tiros del estoque:* "Los pendientes de que cuelga
la espada, por estar tirantes." (Covarrubias, *Tesoro*, 1611,
folio 44 v.)

de mis desdichas consorte,
y que hurtava a sus mexillas
el temor sus arreboles;
viendo quán sin culpa suya 1680
conmigo fortuna corre,
pues con industria deshaze
quanto los hados disponen,
por dar premio a sus lealtades,
por dar fin a sus temores, 1685
por dar remedio a mi muerte
y dar muerte a más passiones,
huve de darme a partido,
y pedirles que conformen
con la unión de nuestras sangres 1690
tan sangrientas dissenciones.
Ellos, que ven el peligro
y mi calidad conocen,
lo acetan, después de estar
un rato entre sí discordes. 1695
Partió a dar cuenta al Obispo
su padre, y bolvió con orden
de que el desposorio pueda
hazer qualquier sacerdote.
Hízose, y en dulce paz 1700
la mortal guerra trocóse,
dándote la mejor nuera
que nació del Sur al Norte.
Mas en que tú no lo sepas
quedamos todos conformes, 1705
por no ser con gusto tuyo
y por ser mi esposa pobre;
pero, ya que fué forçoso
saberlo, mira si escoges
por mejor tenerme muerto 1710
que vivo y con muger noble.

D. BELTRÁN. Las circunstancias del caso
son tales, que se conoce
que la fuerça de la suerte
te destinó essa consorte,   171
y assí, no te culpo en más
que en callármelo.

D. GARCÍA.   Temores
de darte pesar, señor,
me obligaron.

D. BELTRÁN.   Si es tan noble,
¿qué importa que pobre sea?   172
¡Quánto es peor que lo ignore,
para que, aviendo empeñado
mi palabra, agora torne
con esso a doña Jacinta!
¡Mira en qué lance me pones!   172
Toma el cavallo, y temprano,
por mi vida, te recoje,
porque de espacio tratemos
de tus cosas esta noche.   *(Vase.)*

D. GARCÍA. Yré a obedecerte al punto   173
que toquen las oraciones.

[E S C E N A   X]

[DON GARCÍA.]

Dichosamente se ha hecho.
Persuadido el viejo va:
ya del mentir no dirá
que es sin gusto y sin provecho;   173
pues es tan notorio gusto
el ver que me aya creydo,

y provecho aver huydo
de casarme a mi disgusto.
   ¡Bueno fué reñir conmigo   1740
porque en quanto digo miento,
y dar crédito al momento
a quantas mentiras digo!
   ¡Qué fácil de persuadir
quien tiene amor suele ser!   1745
Y ¡qué fácil en creer
el que no sabe mentir!
   Mas ya me aguarda don Juan.—

(Dirá adentro.)

¡Ola! Llevad el cavallo.—
Tan terribles cosas hallo   1750
que sucediéndome van,
   que pienso que desvarío:
vine ayer y, en un momento,
tengo amor y casamiento
y causa de desafío.   1755

[ESCENA XI]

(Sale Don Juan.—[Don García]*.)*

D. JUAN.   Como quien soys lo avéys hecho,
don García.
D. GARCÍA.   ¿Quién podía
sabiendo la sangre mía,
pensar menos de mi pecho?
   Mas vamos, don Juan, al caso   1760
porque llamado me avéys.
Dezid, ¿qué causa tenéys
(que por sabella me abraso)
   de hazer este desafío?
D. JUAN.   Essa dama a quien hizistes,   1765

conforme vos me dixistes,
anoche fiesta en el río,
  es causa de mi tormento,
y es con quien dos años ha
que, aunque se dilata, está   1770
tratado mi casamiento.

  Vos ha un mes que estáys aquí,
y de esso, como de estar
encubierto en el lugar
todo esse tiempo de mí,   1775
  colijo que, aviendo sido
tan público mi cuydado,
vos no lo avéys ignorado,
y assí, me avéys ofendido.
  Con esto que he dicho, digo   1780
quanto tengo que dezir,
y es que, o no avéys de seguir
el bien que ha tanto que sigo,
  o, si acaso os pareciere
mi petición mal fundada,   1785
se remita aquí a la espada,
y la sirva el que venciere.

D. GARCÍA.   Pésame que, sin estar
del caso bien informado,
os ayáys determinado   1790
a sacarme a este lugar.
  La dama, don Juan de Sosa,
de mi fiesta, vive Dios
que ni la avéys visto vos,
ni puede ser vuestra esposa;   1795
  que es casada esta muger,
y ha tan poco que llegó

1790   Ed. 1634: *"ayas"*.

	a Madrid, que sólo yo	
	sé que la he podido ver.	
	Y, quando éssa huviera sido,	1800
	de no verla más os doy	
	palabra, como quien soy,	
	o quedar por fementido.	

D. JUAN.   Con esso se asseguró
la sospecha de mi pecho   1805
y he quedado satisfecho.

D. GARCÍA.   Falta que lo quede yo,
    que averme desafiado
no se ha de quedar assí;
libre fué el sacarme aquí,   1810
mas, aviéndome sacado,
    me obligastes, y es forçoso,
puesto que tengo de hazer
como quien soy, no bolver
sino muerto o vitorioso.   1815

D. JUAN.   Pensado, aunque a mis desvelos
ayáys satisfecho assí,
que aún dexa cólera en mi
la memoria de mis zelos.

(Sacan las espadas y acuchíllanse.)

[ESCENA XII]

(Sale DON FELIS.—[DICHOS].*)*

D. FELIS.   Deténganse, cavalleros,   1820
que estoy aquí yo.

D. GARCÍA.   ¡Que venga
agora quien me detenga!

D. FELIS.   Vestid los fuertes azeros,
    que fué falsa la ocasión   ,
desta pendencia.

D. JUAN.   Ya avía   1825
dícholo assí don García;
pero, por la obligación
    en que pone el desafío,
desnudó el valiente azero.

D. FELIS.   Hizo como cavallero   1830
de tanto valor y brío.
    Y, pues bien quedado avéys
con esto, merezca yo
que, a quien de zeloso erró,
perdón y las manos deys.   1835

                          (Danse las manos.)

D. GARCÍA.   Ello es justo, y lo mandáys.
Mas mirad de aquí adelante,
en caso tan importante,
don Juan, cómo os arrojáys.
    Todo lo avéys de intentar   1840
primero que el desafío,
que empeçar es desvarío
por donde se ha de acabar.   (Vase.)

[ESCENA XIII]

[DON JUAN, DON FELIS.]

D. FELIS.   Estraña ventura ha sido
aver yo a tiempo llegadc.   1845

D. JUAN.   ¿Que en efeto me he engañado?

D. FELIS.   Sí.

D. JUAN.   ¿De quién lo avéys sabido?

D. FELIS.   Súpelo de un escudero
de Lucrecia.

D. JUAN.   Dezid, pues,
¿cómo fué?

D. FELIS.   La verdad es   1850
que fué el coche y el cochero
        de doña Jacinta anoche
al Sotillo, y que tuvieron
gran fiesta las que en él fueron;
pero fué prestado el coche.   1855
        Y el caso fué que, a las horas
que fué a ver Jacinta bella
        a Lucrecia, ya con ella
estavan las matadoras,
        las dos primas de la quinta.   1860
D. JUAN.   ¿Las que en el Carmen vivieron?
D. FELIS.   Sí. Pues ellas le pidieron
el coche a doña Jacinta,
        y en él, con la oscura noche,
fueron al río las dos.   1865
Pues vuestro paje, a quien vos
dexastes siguiendo el coche,
        como en él dos damas vió
entrar quando anochecía,
y noticia no tenía   1870
de otra visita, creyó
        ser Jacinta la que entrava
y Lucrecia.
D. JUAN.   Justamente.
D. FELIS.   Siguió el coche diligente
y, quando en el soto estava,   1875
        entre la música y cena
lo dexó y bolvió a buscaros
a Madrid, y fué el no hallaros
ocasión de tanta pena;
        porque, yendo vos allá,   1880
se deshiziera el engaño.
D. JUAN.   En esso estuvo mi daño.
Mas tanto gusto me da

	el saber que me engañé,	
	que doy por bien empleado	1885
	el disgusto que he passado.	
D. FELIS.	Otra cosa averigüé,	
	que es bien graciosa.	
D. JUAN.	Dezid.	
D. FELIS.	Es que el dicho don García	
	llegó ayer en aquel día	1890
	de Salamanca a Madrid,	
	y en llegando se acostó,	
	y durmió la noche toda,	
	y fué embeleco la boda	
	y festín que nos contó.	1895
D. JUAN.	¿Qué dezís?	
D. FELIS.	Esto es verdad.	
D. JUAN.	¿Embustero es don García?	
D. FELIS.	Esso un ciego lo vería;	
	porque tanta variedad	
	de tiendas, aparadores,	1900
	vaxillas de plata y oro,	
	tanto plato, tanto coro	
	de instrumentos y cantores,	
	¿no eran mentira patente?	
D. JUAN.	Lo que me tiene dudoso	1905
	es que sea mentiroso	
	un hombre que es tan valiente;	
	que de su espada el furor	
	diera a Alcides pesadumbre.	
D. FELIS.	Tendrá el mentir por costumbre	1910
	y por herencia el valor.	
D. JUAN.	Vamos, que a Jacinta quiero	
	pedille, Felis, perdón,	

1909 Hércules.
1910 Los editores modernos ponen "consejas".

y dezille la ocasión
con que esforçó este embustero   1915
   mi sospecha.

D. FELIS.   Desde aquí
nada le creo, don Juan.

D. JUAN.   Y sus verdades serán
ya consejos para mí.   *(Vanse.)*

[*Calle.*]

[ESCENA XIV]

(Salen TRISTÁN, DON GARCÍA *y* CAMINO, *de noche.)*

D. GARCÍA.   Mi padre me dé perdón,   1920
   que forçado le engañé.

TRISTÁN.   ¡Ingeniosa escusa fué!
Pero, dime: ¿qué invención
   agora piensas hazer
con que no sepa que ha sido   1925
el casamiento fingido?

D. GARCÍA.   Las cartas le he de coger
   que a Salamanca escriviere,
y, las respuestas fingiendo
yo mismo, yré entreteniendo   1930
la ficción quanto pudiere.

[ESCENA XV]

(Salen JACINTA, LUCRECIA e ISABEL *a la ventana.* [DON GARCÍA, TRISTÁN y CAMINO, *en la calle].)*

JACINTA.	Con esta nueva volvió	
	don Beltrán bien descontento,	
	quando ya del casamiento	
	estava contenta yo.	1935
LUCRECIA	¿Que el hijo de don Beltrán	
	es el indiano fingido?	
JACINTA.	Sí, amiga.	
LUCRECIA.	¿A quién has oydo	
	lo del banquete?	
JACINTA.	A don Juan.	
LUCRECIA.	Pues ¿quándo estuvo contigo?	1940
JACINTA.	Al anochecer me vió,	
	y en contármelo gastó	
	lo que pudo estar conmigo.	
LUCRECIA.	Grandes sus enredos son.	
	¡Buen castigo te merece!	1945
JACINTA.	Estos tres hombres, parece	
	que se acercan al balcón.	
LUCRECIA.	Vendrá al puesto don García,	
	que ya es hora.	
JACINTA.	Tú, Isabel,	
	mientras hablamos con él,	1950
	a nuestros viejos espía.	
LUCRECIA.	Mi padre está refiriendo	
	bien de espacio un cuento largo	
	a tu tío.	

ESCENA XV: Noche del mismo día.

ISABEL.   Yo me encargo
              de avisaros en viniendo.   *(Vase.)* 1955
CAMINO.   [*A* D. GARCÍA.] Este es el balcón adonde
              os espera tanta gloria.   *(Vase.)*

              [ESCENA XVI]

[DON GARCÍA y TRISTÁN, *en la calle;* JACINTA *y* LUCRECIA,
              a la ventana.]

LUCRECIA.   Tú eres dueño de la historia;
              tú en mi nombre le responde.
D. GARCÍA.   ¿Es Lucrecia?
JACINTA.   ¿Es don García?   1960
D. GARCÍA.   Es quien oy la joya halló
              más preciosa que labró
              el Cielo en la Platería;
                 es quien, en llegando a vella,
              tanto estimó su valor,   1965
              que dió, abrasado de amor,
              la vida y alma por ella.
                 Soy, al fin, el que se precia
              de ser vuestro, y soy quien oy
              comienço a ser, porque soy   1970
              el esclavo de Lucrecia.
JACINTA.   [*Ap. a* LUCRECIA.]
                 Amiga, este cavallero
              para todas tiene amor.
LUCRECIA.   El hombre es embarrador.
JACINTA.   Él es un gran embustero.—   1975

1958 *Dueño de la historia,* como en Lope (*Peregrino,*
1604, fol. 5 v.) : "donde acaso estaba el dueño de aquellas
quexas".

D. GARCÍA.   Ya espero, señora mía,
                lo que me queréys mandar.
JACINTA.   Ya no puede aver lugar
                lo que trataros quería...
TRISTÁN.   (Al oído [a su amo].)
                ¿Es ella?
D. GARCÍA.   Sí.—
JACINTA.   ... Que trataros   1980
                un casamiento intenté
                bien importante, y ya sé
                que es impossible casaros.
D. GARCÍA.   ¿Por qué?
JACINTA.   Porque soys casado.
D. GARCÍA.   ¿Que yo soy casado?
JACINTA.   Vos.   1985
D. GARCÍA.   Soltero soy, vive Dios.
                Quien lo ha dicho os ha engañado.
JACINTA.   [Ap. a LUCRECIA.]
                ¿Viste mayor embustero?
LUCRECIA.   No sabe sino mentir.—
JACINTA.   ¿Tal me queréys persuadir?   1990
D. GARCÍA.   Vive Dios, que soy soltero.
JACINTA.   ¡Y lo jura!
LUCRECIA.   Siempre ha sido
                costumbre del mentiroso,
                de su crédito dudoso,
                jurar para ser creydo.—   1995
D. GARCÍA.   Si era vuestra blanca mano
                con la que el cielo quería
                colmar la ventura mía,
                no pierda el bien soberano,
                pudiendo essa falsedad   2000
                provarse tan fácilmente.

1977 Véase v. n. 61-62.

JACINTA.	[*Ap.*] ¡Con qué confiança miente!
	¿No parece que es verdad?
D. GARCÍA.	La mano os daré, señora,
	y con esso me creeréys. 2005
JACINTA.	Vos soys tal, que la daréys
	a trezientas en una hora.
D. GARCÍA.	Mal acreditado estoy
	con vos.
JACINTA.	Es justo castigo;
	porque mal puede conmigo 2010
	tener crédito quien hoy
	dixo que era perulero
	siendo en la Corte nacido;
	y, siendo de ayer venido,
	afirmó que ha un año entero 2015
	que está en la Corte; y aviendo
	esta tarde confessado
	que en Salamanca es casado,
	se está agora desdiziendo;
	y quien, passando en su cama 2020
	toda la noche, contó
	que en el río la passó
	haziendo fiesta a una dama.
TRISTÁN.	[*Ap.*] Todo se sabe.—
D. GARCÍA.	Mi gloria,
	escuchadme, y os diré 2025
	verdad pura, que ya sé
	en qué se yerra la historia.
	Por las demás cosas passo,
	que son de poco momento,
	por tratar del casamiento, 2030
	que es lo importante del caso.
	Si vos huviérades sido
	causa de aver yo afirmado,

Lucrecia, que soy casado,
¿será culpa aver mentido?   2035

JACINTA.   ¿Yo la causa?
D. GARCÍA.   Sí, señora.
JACINTA.   ¿Cómo?
D. GARCÍA.   Dezíroslo quiero.
JACINTA.   [*Ap. a* LUCRECIA.]
Oye, que hará el embustero
lindos enredos agora.—

D. GARCÍA.   Mi padre llegó a tratarme   2040
de darme otra muger oy;
pero yo, que vuestro soy,
quise con esso escusarme.
          Que, mientras hazer espero
con vuestra mano mis bodas,   2045
soy casado para todas,
sólo para vos soltero.
          Y, como vuestro papel
llegó esforçando mi intento,
al tratarme el casamiento   2050
puse impedimento en él.
          Este es el caso: mirad
si esta mentira os admira,
quando ha dicho esta mentira
de mi afición la verdad.   2055

LUCRECIA.   *(Ap.)* Mas ¿si lo fuese?—
JACINTA.   [*Ap.*]   ¡Qué buena
la traço, y qué de repente!—
Pues ¿cómo tan brevemente
os puedo dar tanta pena?
          ¡Casi aun no visto me avéys   2060
y ya os mostráys tan perdido!
¿Aún no me avéys conocido
y por muger me queréys?

D. GARCÍA.   Oy vi vuestra gran beldad

la vez primera, señora;   2065
que el amor me obliga agora
a deziros la verdad.

Mas si la causa es divina,
milagro el efeto es,
que el dios niño, no con pies,   2070
sino con alas camina.

Dezir que avéys menester
tiempo vos para matar,
fuera, Lucrecia, negar
vuestro divino poder.   2075

Dezís que sin conoceros
estoy perdido: ¡plugiera
a Dios que no os conociera,
por hazer más en quereros!

Bien os conozco: las partes   2080
sé bien que os dió la fortuna,
que sin eclypse soys luna,
que soys mudança sin martes,

que es difunta vuestra madre,
que soys sola en vuestra casa,   2085
que de mil doblones passa
la renta de vuestro padre.

Ved si estoy mal informado.
¡Oxalá, mi bien, que assí
lo estuviérades de mí!   2090

LUCRECIA.   (Ap.) Casi me pone en cuydado.—

2083   Los editores modernos corrigen: "Mendoza sin martes." El martes es día aciago, que pone Quevedo en su capítulo de los agüeros (Libro de todas las cosas...); y alude
también a la superstición del apellido Mendoza: "Si se te
derrama el salero, y no eres Mendoza..." (Rivad., XXIII,
479 a).—Suárez de Figueroa, en El pasajero: "que si uno
(un genovés), y en mi patria, era, sin ser Mendoza, para mí,
un martes", etc.

JACINTA.	Pues Jacinta ¿no es hermosa?
	¿No es discreta, rica y tal
	que puede el más principal
	dessealla por esposa?
D. GARCÍA.	Es discreta, rica y bella;
	mas a mí no me conviene.
JACINTA.	Pues, dezid, ¿qué falta tiene?
D. GARCÍA.	La mayor, que es no querella.
JACINTA.	Pues yo con ella os quería
	casar, que essa sola fué
	la intención con que os llamé.
D. GARCÍA.	Pues será vana porfía;
	que por aver intentado
	mi padre, don Beltrán, oy
	lo mismo, he dicho que estoy
	en otra parte casado.
	Y si vos, señora mía,
	intentáys hablarme en ello,
	perdonad, que por no hazello
	seré casado en Turquía.
	Esto es verdad, vive Dios,
	porque mi amor es de modo
	que aborrezco aquello todo,
	mi Lucrecia, que no es vos.
LUCRECIA.	(Ap.) ¡Oxalá!—
JACINTA.	¡Que me tratéys
	con falsedad tan notoria!
	Dezid, ¿no tenéys memoria,
	o vergüença no tenéys?
	¿Cómo, si oy dixistes vos
	a Jacinta que la amáys,
	agora me lo negáys?
D. GARCÍA.	¡Yo a Jacinta! Vive Dios,

2095
2100
2105
2110
2115
2120

2115 Ed. 1634: q. n. en vos.

	que sola con vos he hablado	
	desde que entré en el lugar.	2125
JACINTA.	Hasta aquí pudo llegar	
	el mentir desvergonçado.	
	Si en lo mismo que yo vi	
	os atrevéys a mentirme,	
	¿qué verdad podréys dezirme?	2130
	Ydos con Dios, y de mí	
	podéys desde aquí pensar	
	—si otra vez os diere oydo—	
	que por divertirme ha sido;	
	como quien, para quitar	2135
	el enfadoso fastidio	
	de los negocios pesados,	
	gasta los ratos sobrados	
	en las fábulas de Ovidio. (Vase.)	
D. GARCÍA.	Escuchad, Lucrecia hermosa.	2140
LUCRECIA.	(Ap.) Confusa quedo. (Vase.)	
D. GARCÍA.	¡Estoy loco!	
	¿Verdades valen tan poco?	
TRISTÁN.	En la boca mentirosa.	
D. GARCÍA.	¡Que haya dado en no creer	
	quanto digo!	
TRISTÁN.	¿Qué te admiras,	2145
	si en quatro o cinco mentiras	
	te ha acabado de coger?	
	De aquí, si lo consideras,	
	conocerás claramente	
	que, quien en las burlas miente,	2150
	pierde el crédito en las veras.	

ACTO TERCERO

[*Sala en casa de* DON SANCHO.]

[ESCENA I]

(*Sale* CAMINO *con un papel; dalo a* LUCRECIA.)

CAMINO.   Este me dió para ti
           Tristán, de quien don García
           con justa causa confía,
           lo mismo que tú de mí;   215
             que, aunque su dicha es tan corta
           que sirve, es muy bien nacido,
           y de suerte ha encarecido
           lo que tu respuesta importa,   216
             que jura que don García
           está loco.

LUCRECIA.   ¡Cosa estraña!
           ¿Es possible que me engaña
           quien desta suerte porfía?
             El más firme enamorado
           se cansa si no es querido,   216
           ¿y éste puede ser fingido,
           tan constante y desdeñado?

CAMINO.   Yo, al menos, si en las señales
           se conoce el coraçón,
           ciertos juraré que son,   21
           por las que he visto, sus males.
             Que quien tu calle passea
           tan constante noche y día,

ESCENA I: Al día siguiente, por la mañana.
2168 Ed. 1634: *alomenos*.

      quien tu espessa celosía
      tan atento bruxulea;   2175
        quien ve que de tu balcón,
      quando él viene, te retiras,
      y ni te ve ni le miras,
      y está firme en tu afición;
        quien llora, quien desespera,   2180
      quien, porque contigo estoy,
      me da dineros —que es oy
      la señal más verdadera—,
        yo me afirmo en que dezir
      que miente es gran desatino.   2185

LUCRECIA.   Bien se echa de ver, Camino,
      que no le has visto mentir.
        ¡Pluguiera a Dios fuera cierto
      su amor! Que, a dezir verdad,
      no tarde en mi voluntad   2190
      hallaran sus ansias puerto.
        Que sus encarecimientos,
      aunque no los he creydo,
      por lo menos han podido
      despertar mis pensamientos.   2195
        Que, dado que es necedad
      dar crédito al mentiroso,
      como el mentir no es forçoso
      y puede dezir verdad,
        oblígame la esperança   2200
      y el proprio amor a creer
      que conmigo puede hazer
      en sus costumbres mudança.
        Y assí —por guardar mi honor,
      si me engaña lisonjero,   2205

   2175 *Brujulear*, vale espiar, acechar, mirar como por brújula.

y, si es su amor verdadero,
porque es digno de mi amor—,
    quiero andar tan advertida
a los bienes y a los daños,
que ni admita sus engaños   2210
ni sus verdades despida.

CAMINO.   De esse parecer estoy.

LUCRECIA.   Pues dirásle que, crüel,
rompí, sin vello, el papel;
que esta respuesta le doy.   2215
    Y luego, tú, de tu aljava,
le di que no desespere,
y que, si verme quisiere,
vaya esta tarde a la otava
de la Madalena.

CAMINO.   Voy.   2220

LUCRECIA.   Mi esperança fundo en ti.

CAMINO.   No se perderá por mí,
pues ves que Camino soy.   *(Vanse.)*

[*Sala en casa de* DON BELTRÁN.]

[ESCENA II]

(*Y salen* DON BELTRÁN, DON GARCÍA *y* TRISTÁN. DON BELTRÁN *saca una carta abierta; dala a* DON GARCÍA.)

D. BELTRÁN.   ¿Avéys escrito, García?

D. GARCÍA.   Esta noche escriviré.   222

D. BELTRÁN.   Pues abierta os la daré;
por que, leyendo la mía,

2220 El convento de la Magdalena, demolido en 1836, cuya huerta daba a la calle del mismo nombre —entre la plaza del Progreso y Atocha—, calle donde alguna vez vivió Cervantes.

2223 Véase v. n. 2334.

2226 Sobrentendido: "la carta".

conforme a mi parecer
a vuestro suegro escriváys;
que determino que vays   2230
vos en persona a traer
    vuestra esposa, que es razón;
porque pudiendo traella
vos mismo, embïar por ella
fuera poca estimación.   2235

D. GARCÍA.   Es verdad; mas sin efeto
será agora mi jornada.

D. BELTRÁN. ¿Por qué?

D. GARCÍA.   Porque está preñada;
y hasta que un dichoso nieto
    te dé, no es bien arriesgar 2240
su persona en el camino.

D. BELTRÁN. ¡Jesús! Fuera desatino
estando assí caminar.
    Mas dime: ¿cómo hasta aquí
no me lo has dicho, García?   2245

D. GARCÍA. Porque yo no lo sabía;
y en la que ayer recebí
    de doña Sancha, me dize
que es cierto el preñado ya.

D. BELTRÁN. Si un nieto varón me da 2250
hará mi vejez felice.
    Muestra: que añadir es bien
    (Tómale la carta que le avia dado.)
quánto con esto me alegro.
Mas di, ¿quál es de tu suegro
el proprio nombre?

D. GARCÍA.   ¿De quién?   2255

D. BELTRÁN. De tu suegro.

D. GARCÍA. *(Ap.)*   Aquí me pierdo.—
Don Diego.

D. BELTRÁN.   O yo me he engañado,

	o otras veces le has nombrado	
	don Pedro.	
D. García.	También me acuerdo	
	de esso mismo; pero son	2260
	suyos, ambos nombres.	
D. Beltrán.	¿Diego y Pedro?	
D. García.	No te assombres;	
	que, por una condición,	
	"don Diego" se ha de llamar	
	de su casa el sucessor.	2265
	Llamávase mi señor	
	"don Pedro" antes de heredar;	
	y como se puso luego	
	"don Diego" porque heredó,	
	después acá se llamó	2270
	ya "don Pedro", ya "don Diego",	
D. Beltrán.	No es nueva essa condición	
	en muchas casas de España.	
	A escrivirle voy. (Vase.)	

[ESCENA III]

[Don García, Tristán.]

Tristán.	Estraña	
	fué esta vez tu confusión.	2275
D. García.	¿Has entendido la historia?	
Tristán.	Y huvo bien en qué entender.	
	El que miente ha menester	
	gran ingenio y gran memoria.	
D. García.	Perdido me vi.	
Tristán.	Y en esso	2280
	pararás al fin, señor.	

2263   *Condición:* cláusula testamentaria.

D. García.   Entre tanto, de mi amor,
              veré el bueno o mal sucesso.
              ¿Qué ay de Lucrecia?
Tristán.   Imagino,
              aunque de dura se precia,   2285
              que has de vencer a Lucrecia
              sin la fuerça de Tarquino.
D. García.   ¿Recibió el villete?
Tristán.   Sí;
              aunque a Camino mandó
              que diga que lo rompió,   2290
              que él lo ha fiado de mí.
                  Y, pues lo admitió, no mal
              se negocia tu deseo;
              si aquel epigrama creo
              que a Nebia escrivió Marcial: 2295
              "Escriví; no respondió
              Nebia: luego dura está;
              mas ella se ablandará,
              pues lo que escriví leyó".
D. García.   Que dice verdad sospecho.   2300
Tristán.   Camino está de tu parte,
              y promete revelarte
              los secretos de su pecho;
                  y que ha de cumplillo espero
              si andas tú cumplido en dar,   2305
              que para hazer confessar
              no ay cordel como el dinero.
                  Y aun fuera bueno, señor,
              que conquistaras tu ingrata
              con dádivas, pues que mata   2310
              con flechas de oro el amor.

_____

2296   Líb. II, Ep. IX, V. Citado también en _Las paredes
ayen._
2307   _Cordel:_ un tormento.

D. GARCÍA.   Nunca te he visto grossero,
sino aquí, en tus pareceres.
¿Es ésta de las mugeres
que se rinden por dinero?   2315

TRISTÁN.   Virgilio dize que Dido
fué del troyano abrasada,
de sus dones obligada
tanto como de Cupido.

¡Y era reina! No te espantes   2320
de mis pareceres rudos,
que escudos vencen escudos,
diamantes labran diamantes.

D. GARCÍA.   ¿No viste que la ofendió
mi oferta en la Platería?   2325

TRISTÁN.   Tu oferta la ofendería,
señor, que tus joyas no.

Por el uso te govierna;
que a nadie en este lugar
por desvergonçado en dar   2330
le quebraron braço o pierna.

D. GARCÍA.   Dame tú que ella lo quiera,
que darle un mundo imagino.

TRISTÁN.   Camino dará camino,
que es el polo desta esfera.   2335

2320 Véase también la primera escena de *Las paredes oyen*.

2331 Suplicio de criminales.

2334 Véase *Mudarse por mejorarse*, II, 12:

"Yo me llamo Redondo, y soy agudo."

Idem II, 14:

"... Soy Redondo, y quisiera
que por mí no se dijera
esto de "cayó redondo"."

Lope, *Al pasar del arroyo*, II, 7:

Y por que sepas que está
en buen estado tu amor,
ella le mandó, señor,
que te dixesse que oy va
Lucrecia a la Madalena   2340
a la fiesta de la otava,
como que él te lo avisava.

D. GARCÍA.   ¡Dulce alivio de mi pena!
¿Con esse espacio me das
nuevas que me buelven loco?   2345

TRISTÁN.   Dóytelas tan poco a poco
por que dure el gusto más.   *(Vanse.)*

[*Claustro del convento de la Magdalena,
con puerta a la iglesia.*]

[ESCENA IV]

(Salen JACINTA y LUCRECIA, con mantos.)

JACINTA.   Qué, ¿prosigue don García?

LUCRECIA.   De modo que, con saber
su engañoso proceder,   2350
como tan firme porfía,

"BENITO.   ¿Quién es Mayo?
MAYO.   Cierto mes.
BENITO.   Pensé que era vuestro nombre."

Calderón, *La vida es sueño*, II, 2:

"sin mirar que soy Clarín,
y que, si el tal Clarín suena,
podrá decir cuanto pasa..."

Alonso de Camino se llamaba el repostero de la fiesta de
San Juan de Alfarache, a que asistió Alarcón en su mocedad.
(Véase el prólogo.)
ESCENA IV: Por la tarde del mismo día. V. n. 2219-20.

	casi me tiene dudosa.	
JACINTA.	Quiçá no eres engañada,	
	que la verdad no es vedada	
	a la boca mentirosa.	2355
	Quiçá es verdad que te quiere,	
	y más donde tu beldad	
	assegura essa verdad	
	en qualquiera que te viere.	
LUCRECIA.	Siempre tú me favoreces;	2360
	mas yo lo creyera assí	
	a no averte visto a ti	
	que al mismo sol obscureces.	
JACINTA.	Bien sabes tú lo que vales,	
	y que en esta competencia	2365
	nunca ha salido sentencia	
	por tener votos yguales.	
	Y no es sola la hermosura	
	quien causa amoroso ardor,	
	que también tiene el amor	2370
	su pedaço de ventura.	
	Yo me holgaré que por ti,	
	amiga, me aya trocado,	
	y que tú ayas alcançado	
	lo que yo no merecí;	2375
	porque ni tú tienes culpa	
	ni él me tiene obligación.	
	Pero ve con prevención,	
	que no te queda disculpa	
	si te arrojas en amar	2380
	y al fin quedas engañada	
	de quien estás ya avisada	
	que sólo sabe engañar.	
LUCRECIA.	Gracias, Jacinta, te doy;	
	mas tu sospecha corrige,	2385

        que estoy por creerle dixe,
        no que por quererle estoy.

JACINTA.   Obligaráte el creer
        y querrás, siendo obligada,
        y, assí, es corta la jornada   2390
        que ay de creer a querer.

LUCRECIA.   Pues ¿qué dirás si supieres
        que un papel he recebido?

JACINTA.   Diré que ya le has creydo,
        y aun diré que ya le quieres.   2395

LUCRECIA.   Erraráste; y considera
        que tal vez la voluntad
        haze por curiosidad
        lo que por amor no hiziera.
        ¿Tú no le hablaste gustosa   2400
        en la Platería?

JACINTA.   Sí.

LUCRECIA.   ¿Y fuyste, en oyrle allí,
        enamorada o curiosa?

JACINTA.   Curiosa.

LUCRECIA.   Pues yo con él
        curiosa también he sido,   2405
        como tú en averle oído,
        en recebir su papel.

JACINTA.   Notorio verás tu error
        si adviertes que es el oyr
        cortesía, y admitir   2410
        un papel claro favor.

LUCRECIA.   Esso fuera a saber él
        que su papel recebí;
        mas él piensa que rompí,
        sin leello, su papel.   2415

JACINTA.   Pues, con esso, es cierta cosa
        que curiosidad ha sido.

LUCRECIA.   En mi vida me ha valido
tanto gusto el ser curiosa.
    Y por que su falsedad   2420
conozcas, escucha y mira
si es mentira la mentira
que más parece verdad.

    (Saca un papel y ábrele, y lee en secreto.)

[ESCENA V]

(Salen CAMINO, *GARCÍA y* TRISTÁN *por otra parte.* [DICHAS]*.)*

CAMINO.   ¿Veys la que tiene en la mano
un papel?

D. GARCÍA.   Sí.

CAMINO.   Pues aquella   2425
es Lucrecia.

D. GARCÍA. *(Ap.)*   ¡Oh, causa bella
de dolor tan inhumano!
    Ya me abraso de zeloso.—
¡Oh, Camino, quánto os devo!

TRISTÁN.   [*A* CAMINO.]
Mañana os vestís de nuevo.   2430

CAMINO.   Por vos he de ser dichoso.— *(Vase.)*

D. GARCÍA.   Llegarme, Tristán, pretendo
adonde, sin que me vea,
si possible fuere, lea
el papel que está leyendo.   2435

TRISTÁN.   No es difícil; que si vas
a esta capilla arrimado,
saliendo por aquel lado,
de espaldas la cogerás.   *(Vase.)*

D. GARCÍA.   Bien dizes. Ven por aquí. *(Vase.)* 2440

JACINTA.   Lee baxo, que darás

mal exemplo.

LUCRECIA. No me oyrás.
Toma y lee para ti.

(*Da el papel a* JACINTA.)

JACINTA. Esse es mejor parecer.

[ESCENA VI]

(Salen TRISTÁN *y* GARCÍA *por otra puerta; cogen de espaldas a las damas.)*

TRISTÁN.	Bien el fin se consiguió.	2445
D. GARCÍA.	Tú, si ves mejor que yo,	
	procura, Tristán, leer.	
JACINTA.	*(Lee.)* "Ya que mal crédito cobras	
	de mis palabras sentidas,	
	dime si serán creydas,	2450
	pues nunca mienten, las obras.	
	Que si consiste el creerme,	
	señora, en ser tu marido,	
	y ha de dar el ser creydo	
	materia al favorecerme,	2455
	por éste, Lucrecia mía,	
	que de mi mano te doy	
	firmado, digo que soy	
	ya *tu esposo don García*."	
D. GARCÍA.	[*Ap. a* TRISTÁN.]	
	¡Vive Dios, que es mi papel!	2460
TRISTÁN.	Pues qué, ¿no lo vió en su casa?	
D. GARCÍA.	Por ventura lo repassa,	
	regalándose con él.	
TRISTÁN.	Comoquiera te está bien.	
D. GARCÍA.	Comoquiera soy dichoso.—	2465

JACINTA.	Él es breve y compendioso;
	o bien siente o miente bien.
D. GARCÍA.	(A JACINTA.) Bolved los ojos, señora,
	cuyos rayos no resisto.

                            (Tápanse LUCRECIA y JACINTA.)

JACINTA.   [*Ap. a* LUCRECIA.]

           Cúbrete, pues no te ha visto,   2470
           y desengáñate agora.

LUCRECIA.   [*Ap. a* JACINTA.]

           Dissimula y no me nombres

D. GARCÍA. Corred los delgados velos
           a esse assombro de los cielos,
           a esse cielo de los hombres.   2475

           ¿Possible es que os llego a ver,
           homicida de mi vida?
           Mas, como soys mi homicida,
           en la iglesia huvo de ser.
           Si os obliga a retraer   2480
           mi muerte, no ayáys temor,
           que de las leyes de amor
           es tan grande el desconcierto,
           que dexan preso al que es muerto
           y libre al que es matador.   2485

           Ya espero que de mi pena
           estáys, mi bien, condolida,
           si el estar arrepentida
           os traxo a la Madalena.
           Ved cómo el amor ordena   2490
           recompensa al mal que siento,
           pues si yo llevé el tormento
           de vuestra crueldad, señora,
           la gloria me llevo agora
           de vuestro arrepentimiento.   2495
           ¿No me habláys, dueño querido?
           ¿No os obliga el mal que passo?

¿Arrepentísos acaso
de averos arrepentido?
Que advirtáys, señora, os pido,   2500
que otra vez me mataréys.
Si porque en la iglesia os veys,
prováys en mí los azeros,
mirad que no ha de valeros
si en ella el delito hazéys.   2505

JACINTA.   ¿Conocéysme?

D. GARCÍA.   ¡Y bien, por Dios!
Tanto, que desde aquel día
que os hablé en la Platería,
no me conozco por vos;
de suerte que, de los dos,   2510
vivo más en vos que en mí;
que tanto, desde que os vi,
en vos transformado estoy,
que ni conozco el que soy
ni me acuerdo del que fuy.   2515

JACINTA.   Bien se echa de ver que estáys
del que fuystes olvidado,
pues sin ver que soys casado,
nuevo amor solicitáys.

D. GARCÍA.   ¡Yo casado! ¿En esso days?   2520

JACINTA.   ¿Pues no?

D. GARCÍA.   ¡Qué vana porfía!
Fué, por Dios, invención mía,
por ser vuestro.

JACINTA.   O por no sello;
y si os buelven a hablar dello,
seréys casado en Turquía.   2525

D. GARCÍA.   Y buelvo a jurar, por Dios,
que, en este amoroso estado,
para todas soy casado
y soltero para vos.

JACINTA.   *(A LUCRECIA.)*
            ¿Ves tu desengaño?

LUCRECIA.   *(Ap.)*   ¡A, Cielos!   2530
            ¿Apenas una centella
            siento de amor, y ya della
            nacen vulcanes de zelos?

D. GARCÍA.   Aquella noche, señora,
            que en el balcón os hablé,   2535
            ¿todo el caso no os conté?

JACINTA.   ¡A mí en balcón!

LUCRECIA.   *(Ap.)*   ¡A, traydora!

JACINTA.   Advertid que os engañáys.
            ¿Vos me hablastes?

D. GARCÍA.   ¡Bien, por Dios!   2540

LUCRECIA.   *(Ap.)* ¿Habláysle de noche vos,
            y a mí consejos me days?

D. GARCÍA.   Y el papel que recibistes,
            ¿negaréyslo?

JACINTA.   ¿Yo papel?

LUCRECIA.   *(Ap.)* ¡Ved qué amiga tan fiel!   2545

D. GARCÍA.   Y sé yo que lo leystes.

JACINTA.   Passar por donaire puede,
            cuando no daña, el mentir;
            mas no se puede sufrir
            quando esse límite excede.   2550

D. GARCÍA.   ¿No os hablé en vuestro balcón,
            Lucrecia, tres noches ha?

JACINTA.   *(Ap.)* ¿Yo Lucrecia? Bueno va:
            toro nuevo, otra invención.
                A Lucrecia ha conocido,   2555
            y es muy cierto el adoralla,
            pues finge, por no enojalla,
            que por ella me ha tenido.—

LUCRECIA.   *(Ap.)* Todo lo entiendo. ¡Ha, traydora!
            Sin duda que le avisó

que la tapada fuí yo,　　　　　2560
y quiere enmendallo agora
　　con fingir que fué el tenella,
por mí, la causa de hablalla.

TRISTÁN.　　(*A* DON GARCÍA.*)*
Negar deve de importalla,
por la que está junto della,　　2565
　　ser Lucrecia.

D. GARCÍA.　　　　　　Assí lo entiendo,
que si por mí lo negara,
encubriera ya la cara.
Pero, no se conociendo,
　　¿se hablaran las dos?

TRISTÁN.　　　　　　　　Por puntos　　2570
suele en las iglesias verse
que parlan, sin conocerse,
los que aciertan a estar juntos.

D. GARCÍA.　　Dizes bien.

TRISTÁN.　　　　　　Fingiendo agora
que se engañaron tu ojos,　　2575
lo enmendarás.

D. GARCÍA.　　　　　　Los antojos
de un ardiente amor, señora,
　　me tienen tan deslumbrado,
que por otra os he tenido.
Perdonad, que yerro ha sido　　2580
de essa cortina causado.
　　Que, como a la fantasía
fácil engaña el desseo,
qualquiera dama que veo
se me figura la mía.　　　　　2585

JACINTA.　　(*Ap.*) Entendíle la intención.
LUCRECIA.　　(*Ap.*) Avisóle la taymada.

2560　Ed. 1634: *vi yo.*

JACINTA.	Según esso, la adorada es Lucrecia.
D. GARCÍA.	El coraçón, desde el punto que la vi, la hizo dueña de mi fe.
JACINTA.	(A LUCRECIA ap.) ¡Bueno es esto!
LUCRECIA.	[Ap.] ¡Que ésta esté haziendo burla de mí! No me doy por entendida, por no hazer aquí un exceso.—
JACINTA.	Pues yo pienso que, a estar de esso cierta, os fuera agradecida Lucrecia.
D. GARCÍA.	¿Tratáys con ella?
JACINTA.	Trato, y es amiga mía; tanto, que me atrevería a afirmar que en mí y en ella vive sólo un coraçón.
D. GARCÍA.	(Ap.) ¡Si eres tú, bien claro está! ¡Qué bien a entender me da su recato y su intención!— Pues ya que mi dicha ordena tan buena ocasión, señora, pues soys ángel, sed agora mensagera de mi pena. Mi firmeza le dezid, y perdonadme si os doy este oficio.
TRISTÁN.	(Ap.) Oficio es oy de las moças en Madrid.
D. GARCÍA.	Persuadilda que a tan grande amor ingrata no sea.
JACINTA.	Hazelde vos que lo crea, que yo la haré que se ablande.

2590

2595

260

260

26

26

D. GARCÍA.   ¿Por qué no creerá que muero,
              pues he visto su beldad?
JACINTA.   Porque si os digo verdad,   2620
              no os tiene por verdadero.
D. GARCÍA.   ¡Ésta es verdad, vive Dios!
JACINTA.   Hazelde vos que lo crea.
              ¿Qué importa que verdad sea,
              si el que la dize soys vos?   2625
                 Que la boca mentirosa
              incurre en tan torpe mengua,
              que, solamente en su lengua,
              es *la verdad sospechosa.*
D. GARCÍA.   Señora...
JACINTA.   Basta: mirad   2630
              que days nota.
D. GARCÍA.   Yo obedezco.
JACINTA.   [*A* LUCRECIA.]
              ¿Vas contenta? *(Vase.)*
LUCRECIA.   Yo agradezco,
              Jacinta, tu voluntad. *(Vase.)*

              [ESCENA VII]

              [DON GARCÍA, TRISTÁN.]

D. GARCÍA.   ¿No ha estado aguda Lucrecia?
              ¡Con qué astucia dió a entender   2635
              que le importaba no ser
              Lucrecia!
TRISTÁN.   A fe que no es necia.
D. GARCÍA.   Sin duda que no quería
              que la conociese aquella
              que estava hablando con ella.   2640
TRISTÁN.   Claro está que no podía

  obligalla otra ocasión
a negar cosa tan clara,
porque a ti no te negara
que te habló por su balcón,   2645
  pues ella misma tocó
los puntos de que tratastes
quando por él os hablastes.

D. GARCÍA. En esso bien me mostró
  que de mí no se encubría.   2650

TRISTÁN. Y por esso dixo aquello:
  "Y si os buelven a hablar dello,
seréys casado en Turquía."
  Y esta conjetura abona
más claramente el negar   2655
que era Lucrecia y tratar
luego en tercera persona
  de sus propios pensamientos,
diziéndote que sabía
que Lucrecia pagaría   2660
tus amorosos intentos,
  con que tú hiziesses, señor,
que los llegasse a creer.

D. GARCÍA. ¡Ay, Tristán! ¿Qué puedo hazer
  para acreditar mi amor?   2665

TRISTÁN. ¿Tú quieres casarte?

D. GARCÍA.   Sí.

TRISTÁN. Pues pídela.

D. GARCÍA.   ¿Y si resiste?

TRISTÁN. Parece que no le oyste
lo que dixo agora aquí:
  "Hazelde vos que lo crea,   2670
que yo la haré que se ablande."
¿Qué indicio quieres más grande
de que ser tuya dessea?
  Quien tus papeles recibe,

quien te habla en sus ventanas,   2675
muestras ha dado bien llanas
de la afición con que vive.

 El pensar que eres casado
la refrena solamente,
y queda esse inconveniente   2680
con casarte remediado;

 pues es el mismo casarte,
siendo tan gran cavallero,
información de soltero.

Y, quando quiera obligarte   2685
 a que des información,
por el temor con que va
de tus engaños, no está
Salamanca en el Japón.

D. GARCÍA. Sí está para quien dessea,   2690
que son ya siglos en mí
los instantes.

TRISTÁN.   Pues aquí,
¿no avrá quien testigo sea?

D. GARCÍA. Puede ser.

TRISTÁN.   Es fácil cosa.

D. GARCÍA. Al punto los buscaré.   2695

TRISTÁN. Uno, yo te lo daré.

D. GARCÍA. ¿Y quién es?

TRISTÁN.   Don Juan de Sosa.

D. GARCÍA. ¿Quién? ¿Don Juan de Sosa?

TRISTÁN.   Sí.

D. GARCÍA. Bien lo sabe.

TRISTÁN.   Desde el día
que te habló en la Platería   2700
no le he visto, ni él a ti.

2689 Véase *Las paredes oyen*, v. n. 107.

Y, aunque siempre he desseado
saber qué pesar te dió
el papel que te escrivió,
nunca te lo he preguntado,   2705
    viendo que entonces, severo
negaste y descolorido;
mas agora, que he venido
tan a propósito, quiero
    pensar que puedo, señor,   2710
pues secretario me has hecho
del archivo de tu pecho,
y se passó aquel furor.

D. GARCÍA.   Yo te lo quiero contar,
que, pues sé por experiencia   2715
tu secreto y tu prudencia,
bien te lo puedo fiar.
    A las siete de la tarde
me escrivió que me aguardava
en San Blas don Juan de Sosa   2720
para un caso de importancia.
Callé, por ser desafío,
que quiere, el que no lo calla,
que le estorven o le ayuden,
covardes acciones ambas.   2725
Llegé al aplazado sitio,
donde don Juan me aguardava
con su espada y con sus zelos,
que son armas de ventaja.
Su sentimiento propuso,   2730
satisfize a su demanda,
y, por quedar bien, al fin,
desnudamos las espadas.
Elegí mi medio al punto,

_____

2734 *Medio:* Distancia del adversario. "La regla general es que la punta de la espada contraria, sea larga o corta,

y, haziéndole una ganancia   2735
por los grados del perfil,
le di una fuerte estocada.
Sagrado fué de su vida
un *Agnus Dei* que llevava,
que, topando en él la punta,   2740
hizo dos partes mi espada.
Él sacó pies del gran golpe;
pero, con ardiente rabia,
vino, tirando una punta;
mas yo, por la parte flaca,   2745
cogí su espada, formando
un atajo. Él presto saca
(como la respiración
tan corta línea le tapa,
por faltarle los dos tercios   2750
a mi poco fiel espada)
la suya, corriendo filos,
y, como cerca me halla
(porque yo busqué el estrecho

---

no haya de pasar de la muñeca del diestro." (Luis Pacheco
de Narváez, pág. 59, *op. cit.* en la nota siguiente.)

2736 Quevedo, *Buscón*, VIII: "No me puede herir, que
le he ganado los grados del perfil." (Edición A. Castro, página 103.) Consiste en salirse de la línea de combate y herir
de afuera. "Ganar todos los grados del perfil" consiste, así, en
llegar a estar con el adversario "correspondiendo el hombro
derecho con el suyo izquierdo". (Don Luis Pacheco de Narváez, *Modo fácil y nuevo para examinarse los maestros en la
destreza de las armas*, 1625, edición de Madrid, 1898, pág. 52;
y en las páginas 55 y 57, la definición de esta treta.)

2742 *Sacar pies:* "Retirarse con buena orden, sin volver
la espalda." (Terreros y Pando.)

2747 "Atajo es cuando el diestro pone su espada sobre la
contraria... que no ha de ser en la punta, ni junto a la guar-
nición, sino que, por lo menos, se toquen en el medio, con que
la tendrá sujeta." (Pacheco de Narváez, págs. 61-62.)

por la falta de mis armas),   2755
a la cabeça, furioso,
me tiró una cuchillada.
Recibíla en el principio
de su formación, y baxa,
matándole el movimiento   2760
sobre la suya mi espada.
¡Aquí fué Troya! Saqué
un revés con tal pujança,
que la falta de mi azero
hizo allí muy poca falta;   2765
que, abriéndole en la cabeça
un palmo de cuchillada,
vino sin sentido al suelo,
y aun sospecho que sin alma.
Dexéle assí y con secreto   2770
me vine. Esto es lo que passa,
y de no verle estos días,
Tristán, es ésta la causa.

TRISTÁN. ¡Qué sucesso tan estraño!
¿Y si murió?

D. GARCÍA.   Cosa es clara,   2775
porque hasta los mismos sesos
esparzió por la campaña.

TRISTÁN. ¡Pobre don Juan...! Mas ¿no es éste
que viene aquí?

[ESCENA VIII]

(*Salen* DON JUAN *y* DON BELTRÁN *por otra parte.* [DICHOS].)

D. GARCÍA.   ¡Cosa estraña!

TRISTÁN. ¿También a mí me la pegas?   2780
¿Al secretario del alma?

	(Ap.) ¡Por Dios, que se lo creí,	
	con conocelle las mañas!	
	Mas ¿a quién no engañarán	
	mentiras tan bien trobadas?	2785
D. GARCÍA.	Sin duda que le han curado	
	por ensalmo.	
TRISTÁN.	Cuchillada	
	que rompió los mismos sesos,	
	¿en tan breve tiempo sana?	
D. GARCÍA.	¿Es mucho? Ensalmo sé yo	2790
	con que un hombre, en Salamanca,	
	a quien cortaron a cercen	
	un braço con media espalda,	
	bolviéndosela a pegar,	
	en menos de una semana	2795
	quedó tan sano y tan bueno	
	como primero.	
TRISTÁN.	¡Ya escampa!	
D. GARCÍA.	Esto no me lo contaron;	
	yo lo vi mismo.	
TRISTÁN.	Esso basta.	
D. GARCÍA.	De la verdad, por la vida,	2800
	no quitaré una palabra.	
TRISTÁN.	*(Ap.)* ¡Que ninguno se conozca!—	
	Señor, mis servicios paga	
	con enseñarme esse salmo.	
D. GARCÍA.	Está en dicciones hebraycas,	2805
	y, si no sabes la lengua,	
	no has de saber pronunciarlas.	

2785 La ed. 1634 pone: *también*.

2804 Nota Barry la semejanza con el pasaje del *Quijote*, I, x:

"Y no quiero otra cosa, en pago de mis muchos y buenos servicios, sino que vuestra merced me dé la receta de ese extremado licor..." (Pág. 235, edición Francisco Rodríguez Marín, de "La Lectura".)

TRISTÁN.   Y tú, ¿sábesla?

D. GARCÍA.   ¡Qué bueno!
                Mejor que la castellana:
                hablo diez lenguas.

TRISTÁN.   *(Ap.)*   Y todas   2810
                para mentir no te bastan.
                "Cuerpo de verdades lleno"
                con razón el tuyo llaman,
                pues ninguna sale dél
                ni ay mentira que no salga.   2815

D. BELTRÁN.   [A DON JUAN.]
                ¿Qué dezís?

D. JUAN.   Esto es verdad:
                ni cavallero ni dama
                tiene, si mal no me acuerdo,
                de essos nombres Salamanca.

D. BELTRÁN.   *(Ap.)* Sin duda que fué invención   2820
                de García, cosa es clara.
                Disimular me conviene.—
                Gozés por edades largas,
                con una rica encomienda,
                de la cruz de Calatrava.   2825

D. JUAN.   Creed que siempre he de ser
                más vuestro quanto más valga.
                Y perdonadme, que aora,
                por andar dando las gracias
                a essos señores, no os voy   2830
                sirviendo hasta vuestra casa. *(Vase.)*

2831 Véase v. n. **958.**

[ESCENA IX]

[DON BELTRÁN, DON GARCÍA, TRISTÁN.]

D. BELTRÁN.   *(Ap.)* ¡Válgame Dios! ¿Es possible
que a mí no me perdonaran
las costumbres deste moço?
¿Que aun a mí en mis proprias canas,   2835
me mintiesse, al mismo tiempo
que riñéndoselo estava?
¿Y que le creyesse yo,
en cosa tan de importancia,
tan presto, aviendo ya oydo   2840
de sus engaños la fama?
Mas ¿quién creyera que a mí
me mintiera, quando estava
reprehendiéndole esso mismo?
Y ¿qué juez se recelara   2845
que el mismo ladrón le robe,
de cuyo castigo trata?

TRISTÁN.   [*A* GARCÍA.]
¿Determínaste a llegar?

D. GARCÍA.   Sí, Tristán.

TRISTÁN.   Pues Dios te valga.

D. GARCÍA.   Padre...

D. BELTRÁN.   ¡No me llames padre,   2850
vil! Enemigo me llama,
que no tiene sangre mía
quien no me parece en nada.
Quítate de ante mis ojos,
que, por Dios, si no mirara...   2855

TRISTÁN.   *(A* DON GARCÍA.*)*
El mar está por el cielo:
mejor ocasión aguarda.

D. BELTRÁN.   ¡Cielos! ¿Qué castigo es éste?

¿Es possible que a quien ama
la verdad como yo, un hijo   2860
de condición tan contraria
le diéssedes? ¿Es possible
que quien tanto su honor guarda
como yo, engendrasse un hijo
de inclinaciones tan baxas,   2865
y a Gabriel, que honor y vida
dava a mi sangre y mis canas,
llevássedes tan en flor?
Cosas son que, a no mirarlas
como christiano...

D. GARCÍA.   *(Ap.)*   ¿Qué es esto?   2870
TRISTÁN.   [*Ap. a su amo.*]
              ¡Quítate de aquí! ¿Qué aguardas?
D. BELTRÁN.   Déxanos solos, Tristán.
              Pero buelve, no te vayas;
              por ventura, la vergüença
              de que sepas tú su infamia   2875
              podrá en él lo que no pudo
              el respeto de mis canas.
              Y, quando ni esta vergüença
              le obligue a enmendar sus faltas,
              servíræ, por lo menos,   2880
              de castigo el publicallas.—
              Di, liviano, ¿qué fin llevas?
              Loco, di, ¿qué gusto sacas
              de mentir tan sin recato?
              Y, quando con todos vayas   2885
              tras tu inclinación, ¿conmigo
              siquiera no te enfrenaras?
              ¿Con qué intento el matrimonio
              fingiste de Salamanca,
              para quitarles también   2890
              el crédito a mis palabras?

¿Con qué cara hablaré yo
a los que dixe que estavas
con doña Sancha de Herrera
desposado? ¿Con qué cara,   2895
quando, sabiendo que fué
fingida esta doña Sancha,
por cómplices del embuste,
infamen mis nobles canas?
¿Qué medio tomaré yo   2900
que saque bien esta mancha,
pues, a mejor negociar,
si de mí quiero quitarla,
he de ponerla en mi hijo,
y, diziendo que la causa   2905
fuyste tú, he de ser yo mismo
pregonero de tu infamia?
Si algún cuydado amoroso
te obligó a que me engañaras,
¿qué enemigo te oprimía?   2910
¿qué puñal te amenaçava,
sino un padre, padre al fin?
Que este nombre solo basta
para saber de qué modo
le enternecieran tus ansias.   2915
¡Un viejo que fué mancebo,
y sabe bien la pujança
con que en pechos juveniles
prenden amorosas llamas!

D. García.   Pues si lo sabes, y entonces   2920
para escusarme bastara,
para que mi error perdones
agora, padre, me valga.
Parecerme que sería
respetar poco tus canas   2925

no obedecerte, pudiendo,
me obligó a que te engañara.
Error fué, no fué delito;
no fué culpa, fué ignorancia;
la causa, amor; tú, mi padre: 2930
¡pues tú dizes que esto basta!
Y ya que el daño supiste,
escucha la hermosa causa,
porque el mismo dañador
el daño te satisfaga.   2935
Doña Lucrecia, la hija
de don Juan de Luna, es alma
desta vida, es principal
y heredera de su casa;
y, para hazerme dichoso   2940
con su hermosa mano, falta
sólo que tú lo consientas
y declares que la fama
de ser yo casado tuvo
esse principio, y es falsa.   2945

D. BELTRÁN. No, no. ¡Jesús! ¡Calla! ¿En otra
avías de meterme? Basta.
Ya, si dizes que ésta es luz,
he de pensar que me engañas.

D. GARCÍA.   No, señor; lo que a las obras   2950
se remite, es verdad clara,
y Tristán, de quien te fías,
es testigo de mis ansias.—
Dilo, Tristán.

TRISTÁN.   Sí, señor:
lo que dize es lo que passa.   2955

D. BELTRÁN. ¿No te corres desto? Di:
¿no te avergüença que ayas
menester que tu crïado
acredite lo que hablas?

Aora bien: yo quiero hablar 2960
a don Juan, y el Cielo haga
que te dé a Lucrecia, que eres
tal, que es ella la engañada.
Mas primero he de informarme
en esto de Salamanca, 2965
que ya temo que, en dezirme
que me engañaste, me engañas.
Que, aunque la verdad sabía
antes que a hablarte llegara,
la has hecho ya sospechosa 2970
tú, con sólo confessarla.   *(Vase.)*

D. GARCÍA.   ¡Bien se ha hecho!

TRISTÁN.
                                        ¡Y cómo bien!
Que yo pensé que oy provavas
en tí aquel psalmo hebreo
que braços cortados sana.   *(Vanse.)* 2975

[*Sala con vistas a un jardín, en casa
de* DON JUAN DE LUNA.]

[ESCENA X]

(*Salen* DON JUAN, *viejo, y* DON SANCHO.)

DON JUAN

Parece que la noche ha refrescado.

DON SANCHO

Señor don Juan de Luna, para el río,
éste es fresco, en mi edad, demasïado.

ESCENA X: La noche del mismo día.

Don Juan

Mejor será que en esse jardín mío
se nos ponga la mesa, y que gozemos   2980
la cena con sazón, templado el frío.

Don Sancho

Discreto parecer. Noche tendremos
que dar a Mançanares más templada,
que ofenden la salud estos estremos.

Don Juan. *(Adentro.)*

Gozad de vuestra hermosa combidada   2985
por esta noche en el jardín, Lucrecia.

Don Sancho

Veáysla, quiera Dios, bien empleada,
que es un ángel.

Don Juan

         Demás de que no es necia,
y ser, cual veys, don Sancho, tan hermosa,
menos que la virtud la vida precia.   2990

[ESCENA XI]

(Sale un Criado. *[*Dichos.*])*

Criado. [*A* Don Sancho.]

Preguntando por vos, don Juan de Sosa
a la puerta llegó y pide licencia.

Don Sancho

¿A tal hora?

DON JUAN

Será ocasión forçosa.

DON SANCHO

Éntre el señor don Juan.

(*Vase el* CRIADO.)

[ESCENA XII]

(*Sale* DON JUAN, *galán, con un papel.* [DON JUAN DE LUNA, DON SANCHO.])

DON JUAN, *galán.* [*A* DON SANCHO.]

       A essa presencia,
sin el papel que veys, nunca llegara;   2995
mas, ya con él, faltava la paciencia,
   que no quiso el amor que dilatara
la nueva un punto, si alcanzar la gloria
consiste en esso, de mi prenda cara.
   Ya el ábito salió: si en la memoria   3000
la palabra tenéys que me avéys dado,
colmaréys, con cumplirla, mi vitoria.

DON SANCHO

   Mi fe, señor don Juan, avéys premiado
con no aver esta nueva tan dichosa
por un momento sólo dilatado.   3005
   A darle voy a mi Jacinta hermosa,
y perdonad que, por estar desnuda,
no la mando salir.   (*Vase.*)

DON JUAN, *viejo*

         Por cierta cosa
tuve siempre el vencer, que el Cielo ayuda
la verdad más oculta, y premïada   3010
dilación pudo aver, pero no duda.

[ESCENA XIII]

(*Salen* DON GARCÍA, DON BELTRÁN *y* TRISTÁN *por otra parte.*
[DON JUAN DE LUNA, DON JUAN DE SOSA.])

DON BELTRÁN

Ésta no es ocasión acomodada
de hablarle, que ay visita, y una cosa
tan grave a solas ha de ser tratada.

DON GARCÍA

Antes nos servirá don Juan de Sosa   301
en lo de Salamanca por testigo.

DON BELTRÁN

¡Que lo ayáis menester! ¡Qué infame cosa!
En tanto que a don Juan de Luna digo
nuestra intención, podréys entretenello.

DON JUAN, *viejo*

¡Amigo don Beltrán!

DON BELTRÁN

                    ¡Don Juan amigo!   30

DON JUAN, *viejo*

¿A tales horas tal excesso?

DON BELTRÁN

                              En ello
conoceréys que estoy enamorado.

DON JUAN, *viejo*

Dichosa la que pudo merecello.

DON BELTRÁN

Perdón me avéys de dar; que aver hallado
la puerta abierta, y la amistad que os tengo,   3025
para entrar sin licencia me la han dado.

DON JUAN, *viejo*

Cumplimientos dexad, quando prevengo
el pecho a la ocasión desta venida.

DON BELTRÁN

Quiero deziros, pues, a lo que vengo.

DON GARCÍA. [*A* DON JUAN DE SOSA.]

Pudo, señor don Juan, ser oprimida   3030
de algún pecho de envidia emponçoñado
verdad tan clara, pero no vencida.
Podéys, por Dios, creer que me ha alegrado
vuestra vitoria.

DON JUAN, *galán*

De quien soys lo creo.

DON GARCÍA

Del ábito gozéys encomendado,   3035
como vos merecéys y yo desseo.

DON JUAN, *viejo*

Es en esso Lucrecia tan dichosa,
que pienso que es soñado el bien que veo.
Con perdón del señor don Juan de Sosa,
oyd una palabra, don García.   3040
Que a Lucrecia queréys por vuestra esposa
me ha dicho don Beltrán.

DON GARCÍA

El alma mía,
mi dicha, honor y vida está en su mano.

DON JUAN, *viejo*

Yo, desde aquí, por ella os doy la mía;

(Danse las manos.)

que como yo sé en esso lo que gano,   3045
lo sabe ella también, según la he oydo
hablar de vos.

DON GARCÍA

Por bien tan soberano,
los pies, señor don Juan de Luna, os pido.

[ESCENA XIV]

(Salen DON SANCHO, JACINTA *y* LUCRECIA.—[DICHOS.])

LUCRECIA.	Al fin, tras tantos contrastes,
	tu dulce esperança logras.
JACINTA.	Con que tú logres la tuya
	seré del todo dichosa.
D. JUAN, *viej.*	Ella sale con Jacinta
	agena de tanta gloria,
	más de calor descompuesta
	que adereçada de boda.
	Dexad que albricias le pida
	de una nueva tan dichosa.
D. BELTRÁN.	[*Ap. a* DON GARCÍA.]
	Acá está don Sancho. ¡Mira
	en qué vengo a verme agora!
D. GARCÍA.	Yerros causados de amor,
	quien es cuerdo los perdona.—
LUCRECIA.	[*A* DON JUAN, *viejo.*]
	¿No es casado en Salamanca?
D. JUAN, *viej.*	Fué invención suya engañosa,

3050 (líneas 3050)
3055 (líneas 3055)
3060 (líneas 3060)

	procurando que su padre	3065
	no le casasse con otra.	
LUCRECIA.	Siendo assí, mi voluntad	
	es la tuya, y soy dichosa.—	
D. SANCHO.	Llegad, ilustres mancebos,	
	a vuestras alegres novias;	3070
	que dichosas se confiessan	
	y os aguardan amorosas.	
D. GARCÍA.	Agora de mis verdades	
	darán provança las obras.	

(*Vanse* DON GARCÍA *y* DON JUAN *a* JACINTA.)

D. JUAN, *gal.*	¿Adónde vays, don García?	3075
	Veys allí a Lucrecia hermosa.	
D. GARCÍA.	¿Cómo Lucrecia?	
D. BELTRÁN.	¿Qué es esto?	
D. GARCÍA.	(*A* JACINTA.)	
	Vos sois mi dueño, señora.	
D. BELTRÁN.	¿Otra tenemos?	
D. GARCÍA.	Si el nombre	
	erré, no erré la persona.	3080
	Vos soys a quien yo he pedido,	
	y vos la que el alma adora.	
LUCRECIA.	Y este papel engañoso,	

(*Saca un papel.*)

	que es de vuestra mano propria,	
	¿lo que dezís no desdize?	3085
D. BELTRÁN.	¡Que en tal afrenta me pongas!	
D. JUAN, *gal.*	Dadme, Jacinta, la mano.	
	y daréys fin a estas cosas.	
D. SANCHO.	Dale la mano a don Juan.	
JACINTA.	[*A* DON JUAN, *galán.*]	
	Vuestra soy.	
D. GARCÍA.	Perdí mi gloria.	3090
D. BELTRÁN.	¡Vive Dios, si no recibes	

a Lucrecia por esposa,
que te he de quitar la vida!

D. JUAN, *viej*. La mano os he dado agora
por Lucrecia, y me la distes;   3095
si vuestra inconstancia loca
os ha mudado tan presto,
yo lavaré mi deshonra
con sangre de vuestras venas.

TRISTÁN. Tú tienes la culpa toda;   3100
que si al principio dixeras
la verdad, ésta es la hora
que de Jacinta gozavas.
Ya no hay remedio, perdona,
y da la mano a Lucrecia,   3105
que también es buena moça.

D. GARCÍA. La mano doy, pues es fuerça.

TRISTÁN. Y aquí verás quán dañosa
es la mentira; y verá
el Senado que, en la boca   3110
del que mentir acostumbra,
es *La Verdad sospechosa*.

FIN DE LA COMEDIA

3112 La ed. Barry, habiendo en la pág. 176 pasado del número 2895 al 2910, saca un falso cómputo final de 3122
versos.

LAS PAREDES OYEN (*)

FIGURAS DE LA COMEDIA

Don Mendo, *galán.*
Don Juan, *galán.*
El Duque, *galán.*
El Conde, *galán.*
Leonardo, *criado.*
Beltrán, *gracioso.*
Doña Ana, *dama viuda.*
Doña Lucrecia, dama.

Celia, *criada.*
Un Escudero [Ortiz].
[Marcelo], \
[Fabio], } [*criados del* Duque].
[Un Escudero.]
[Una mujer.]
[Arrieros.]

[La escena, en Madrid, en Alcalá de Henares y a un cuarto
de legua de Alcalá.]

ACTO PRIMERO

[*Sala en casa de* Doña Ana, *Madrid.*]

[ESCENA I]

(Don Juan, *vestido llanamente, y* Beltrán.)

JUAN.   Tiéneme desesperado,
         Beltrán, la desigualdad,

(*) Según el texto de Madrid, 1628. También se han apro-
vechado la edición de Hartzenbusch (Bibl. Riv., XX) y, sobre
todo, la de miss C. B. Bourland, New York, 1914, en la que
noto los siguientes puntos:

	EDIC. 1628	EDIC. 1914
Verso	699 : al passo *del* alvedrío.	a. p. *que el* a.
—	985 : Según es impertinente.	s. e. *de* i.
—	1059 : ...¡ Que *ay* juicio.	...¡ Q. *haya* j.
—	1741 : ¡*Ho* traidor...!	¡*Ah* t...!
—	1829 : ... *sus* amores.	... *tus* a.
—	2272 : ni *falta* más peligrosa.	n. *salsa* m. p.

Esta edición —la más correcta que conocemos— trae al
fin una tabla de las variantes introducidas por mala lectura
en las ediciones modernas, que es inútil reproducir aquí.

si no de mi calidad,
de mis partes y mi estado.
La hermosura de doña Ana,   5
el cuerpo airoso y gentil,
bella emulación de abril,
dulce embidia de Dïana,
mira tú, ¿cómo podrán
dar esperança al deseo   10

También he consultado la reseña que, sobre el texto de miss Bourland, ha hecho el profesor F. O. Reed en *Modern Language Notes*, Baltimore, 1916, XXXI, 95-104 y 169-178, de que he sacado varias notas.

1-4 Véase v. n. 169: "No hay pobre con *calidad*"; y *La verdad sospechosa*, v. n. 297 y sigts.:

"En el vicio y la virtud
y el *estado* hay diferencia."

Tirso, *Palabras y plumas*, I, 6:

"Y supuesto que es mudable
el *estado* y la riqueza,
siendo el valor y nobleza
accidente inseparable,
pues en ella me señalo,
estimad la *calidad*
en más que la cantidad;
porque, en cuanto ésta, os *igualo*."

Sobre *desigualdad* por "inferioridad", véase *La verdad sospechosa*, v. n. 41.—*Calidad, partes y estado* —alcurnia, condiciones propias y posición social— se asocian en la literatura de la época como una fórmula fija para definir a las personas. Así en Lope, *El peregrino*, 1604, fols. 23 v.-24: "Fuera de que en Mireno concurrían amables *partes:* porque era de lindo talle, de alto ingenio, de liberal condición, de noble sangre... si amor no me engaña, de su *calidad* no tenía igual en el mundo; y propúsele los [sujetos=personas] que me parecieron que lo eran [iguales] en proporción de su *estado*, ya que no de su persona."—Véase en el mismo Alarcón, *No hay mal que por bien no venga*, I, 14: "Dime las *partes*... desa casa"; *Examen de maridos*, I, 4: "Sólo valen... proprias y adquiridas *partes*"; *La prueba de las promesas*, I, 1: "*partes* de rico, noble y galán".

BELTRÁN.

de un hombre tan pobre y feo
y de mal talle, Beltrán?
A un Narciso cortesano,
un humano serafín
resistió un siglo, y al fin
la halló en braços de un enano.
Y, si las historias creo
y exemplos de autores graves

15

---

17 Véase para una versión de este mismo cuento, *La serrana de la Vera*, de Luis Vélez de Guevara, v. n. 1139-1158 y nota, pág. 160 edic. de M. G. de Menéndez Pidal y R. Menéndez Pidal, Madrid, 1916. V. reseña de esta edición por J. Gómez Ocerín, en *Rev. de Filol. Esp.*, IV, pág. 413.—Ovidio, *Ars Amandi*, I: "Inde fit, ut, quae se timuit committere honesto, Vilis in amplexus inferiores eat."—Alfonso de la Torre, *Visión delectable* (1440?), Rivad., XXXVI, 351 a: "Los hombres encenagados y envueltos en estas concupiscencias sensibles parescen a una fija de un rey muy fermosa; la cual heredaba el reino de su padre, et adulteró con un esclavo muy negro et disforme, por lo cual perdió el hereditable patrimonio."—Se encuentra una versión de este cuento en el *Orlando furioso*.

18 Compárese este discurso sobre las aberraciones de las mujeres, y la situación general de este diálogo, con el de Sempronio y Calisto en el acto I de *La Celestina*:

"SEMPRONIO.—Dixe que tú, que tienes más coraçón que Nembrot ni Alexandre, desesperas de alcançar una muger; muchas de las quales, en grandes estados constituydas, se sometieron a los pechos e resollos de viles azemilleros; e otras, a brutos animales. ¿No has leydo de Pasife con el toro, de Minerva con el can?

"CALISTO.—No lo creo; hablillas son.

"SEMPRONIO.—Lo que tu abuela con el ximio, hablilla fué: testigo es el cuchillo de tu abuelo.

"CALISTO.—¡Maldito sea este necio, e qué porradas dize!

"SEMPRONIO.—¿Escozióte? Lee los ystoriales: estudia los filósofos: mira los poetas: llenos están los libros de sus viles e malos exemplos."

Edic. fac-similar de A. M. Huntington, fol. 4 v.

También Ovid., *loc. cit.*, habla de las aberraciones de las mujeres, y cuenta la de Pasife con el toro.

       (pues, aunque sirviente, sabes
       que a ratos escrivo y leo),
          me dizen que es ciego Amor,   20
       y sin consejo se inclina;
       que la emperatriz Faustina
       quiso un feo esgrimidor;
          que mil injustos deseos,   25
       puestos locamente en ella,
       cumplió Hipia, noble y bella,
       de hombres humildes y feos.

JUAN.   Beltrán, ¿para qué refieres
       Comparaciones tan vanas?   30
       ¿No ves que eran más livianas
       que bellas essas mugeres,
          y que en doña Ana es locura
       esperar igual error,

19-20   Véase nota al v. n. 364 de *La verdad sospechosa*.

23-27   Hipia.—Juvenal, sát. VI, v. 82-113.—Reed opina que Alarcón trastrocó sus citas, pues es Faustina, esposa de Marco Aurelio, la que cumplió "mil injustos deseos", en tanto que de Hipia sólo cuenta Juvenal que "quiso a un feo esgrimidor", Sergiolo, por quien abandonó a su marido. Sin embargo, también Faustina amó a un gladiador. En la *Comedia Selvagia*, de Villegas (donde, por cierto, "Flesinardo" confunde a "Isabela" con "Rosiana", en un enredo que anuncia ya la comedia del género de *La verdad sospechosa*), se lee: "Otro remedio cuenta para el amor el magnífico caballero Pero Mexía, en su *Silva*, con el cual sanó Faustina, mujer de Marco Aurelio; *la cual, como excesivamente amase a un esgrimidor* de los que hacían los regocijos públicos, y viéndose en peligro de muerte, por esta causa los médicos mandaron matar y quemar al esgrimidor, y los polvos bebidos en vino por Faustina, fué libre de su amor inhonesto..." (*Libros raros o curiosos*, págs. 18-19.)—Y, en efecto, Pero Mexía, en el libro III, cap. XIII de su *Silva* (1556), página 420, cuenta el caso, con la variante de que Faustina bebe la sangre del gladiador muerto.

en quien excede el honor   35
al milagro de hermosura?

BELTRÁN. ¿No eres don Juan de Mendoça?
Pues doña Ana ¿qué perdiera
quando la mano te diera?

JUAN. Tan alta fortuna goza,   40
que nos haze desiguales
la humilde en que yo me veo.

BELTRÁN. Que diste en el punto, creo,
de que proceden tus males.

  Si Fortuna en tu humildad   45
con un soplo te ayudara,
a fe que te aprovechara
la misma desigualdad.

  Fortuna acompaña al dios
que amorosas flechas tira;   50
que en un templo los de Egira
adoravan a los dos.

  Sin riqueza ni hermosura
pudieras lograr tu intento:
siglos de merecimiento   55
trueco a puntos de ventura.

JUAN. Esso mismo me acobarda.
Soy desdichado, Beltrán.

BELTRÁN. Trocar las manos podrán
fortuna y amor: aguarda.   60

JUAN. Si a don Mendo haze favor,
¿qué esperança he de tener?

BELTRÁN. En ésse echarás de ver
que es todo fortuna amor.

  A competencia lo quieren   65
doña Ana y doña Teodora;
doña Lucrecia lo adora;
todas, al fin, por él mueren:
  jamás el desdén gustó.

JUAN.	Es bello y rico el mancebo.	70
BELTRÁN.	¡Quánto mejor era Febo!	
	Y Daphnes lo desdeñó.	
	Y, quando no conociera	
	otro en perfección igual,	
	aquesto de dezir mal	75
	¿es defecto como quiera?	
JUAN.	Y ¿no es esso murmurar?	
BELTRÁN.	Esto es dezir lo que siento.	
JUAN.	Lo que siente el pensamiento	
	no siempre se ha de explicar.	80
BELTRÁN.	Dezir...	
JUAN.	Que calles te digo;	
	y ten por cosa segura	
	que tiene, aquel que murmura.	
	en su lengua su enemigo.	
BELTRÁN.	Entre tus desconfianças,	85
	en su casa entrar te veo:	
	sin duda que el gran deseo	
	engaña tus esperanças.	
	Veste en desierto lugar,	
	y no cessas de dar vozes,	90
	y, aunque tu muerte conoces,	
	nadas en medio del mar.	
JUAN.	Lo que en gran tiempo no ha hecho,	
	haze amor en solo un día,	
	venciendo al fin la porfía.	95
BELTRÁN.	Que te sucede sospecho	
	lo que al tahur, que en perdiendo,	
	solamente con dezir	
	"¡que no sepa yo gruñir!",	
	está sin cessar gruñendo.	100

96-100 Véase Tirso, *Palabras y plumas*, I, 3:
   "¡Eso es!" "No juréis, Angulo."
   "—Juro a Dios no juro..."

  Tú dizes que desesperas;
y, entre el mismo no esperar,
nunca dexas de intentar:
¿qué más hazes quando esperas?
  ¿Tú piensas que el esperar   105
es alguna confección
venida allá del Japón?
El esperar es pensar
  que puede al fin suceder
aquello que se desea: 110
y, quien haze porque sea,
bien piensa que puede ser.

JUAN. *(Saca una carta.)* Pues si con esta invención
en su desdén no ay mudança,
aunque viva mi esperança   115
morirá mi pretensión.

BELTRÁN. El mercader marinero,
con la codicia avarienta,
cada vïaje que intenta
dize que será el postrero.   120

Id., I, 5:

  "—¿Que tanto ha de durar el juramento?
  —Un siglo.
    —¿Qué tahur, qué amante jura
de no jugar o amar, sin volver luego
éste a su pretensión, aquél al juego?"

107 Véase *La verdad sospechosa*, v. n. 2689.
113-116 Véase v. n. 1285.
120 Véase *El semejante a sí mismo*, III, 6:

    "Cada vez reñís así,
  y os vuelvo a ver juntos luego.
  Allá en la corte, don Diego,
  cierto galán conocí
  que con su dama rifaba
  y juraba de no vella
  cada mañana, y con ella
  cada noche se acostaba."

Assí tú, quando imagino
que desengañado estás,
ya con nuevo intento vas
en la mitad del camino.
Mas dime: ¿qué te ha obligado   125
a traçar esta invención
para mostrar tu afición
pudiendo, con un crïado
de su casa, negociar
lo que tú vienes a hazer?   130

JUAN.   No he de arresgarme a ofender
a quien pretendo obligar;

---

131 "La forma *arresgar*, tan común en Alarcón, es hoy
vulgar en algunas partes de América." (R. J. CUERVO. *Dicc. de
Constr. y Régimen de la Lengua Cast.*, 1886, I, 653 b).—He
aquí varios ejemplos del mismo Alarcón:

"La vida quiero *arresgar*."

(*La industria y la suerte*, II, 12.)

"No quiero *arresgarme tanto*."

(*Id.*, III, 5.)

"*Arresgó* por quien amáis."

(*Todo es ventura*, I, 5. La ed. Rivadeneyra pone, equivocadamente, "arriesgó".)

"Vaya, ¿qué puedo *arresgar?*"

(*Id.*, I, 8.)

"No habrán *arresgado* el bien."

(*El desdichado en fingir*, I, 1.)

"¿Para qué es bueno *arresgar?*"

(*La cueva de Salamanca*, I, 1.)

"No os *arresguéis* a un gran daño."

(*Los favores del mundo*, II, 5. La ed. Rivadeneyra pone,
equivocadamente, "arriesguéis".)—Véase v. n. 2027 y 2444.

que, como es tan delicada
la honra, suele perderse
solamente con saberse   135
que ha sido solicitada.
　　Y assí, del murmurador
pretendo que esté segura
mi desdicha o mi ventura,
su flaqueza o su valor;   140
　　que aun a ti mismo callado
estos intentos huviera,
si en ti, Beltrán, no tuviera
más amigo que crïado.

BELTRÁN.　　¿Toda esta casa, don Juan,   145
a una muger aposenta?

JUAN.　　Seis mil ducados de renta,
¿qué alcázar no ocuparán?

BELTRÁN.　　Celia es ésta.

[ESCENA II]

(*Sale* CELIA.—[DON JUAN *y* BELTRÁN].)

CELIA.　　　　　　　¿Qué mandáis,
señor don Juan?

JUAN.　　　　　　　Celia mía: 150
besar las manos querría,
si licencia me alcançáis,
　　a mi señora doña Ana.

CELIA.　　Que será impossible entiendo;
porque se está previniendo   155
para partirse mañana
　　a una novena en Alcalá.

150　Véase v. n. 1521 y sigts. A este pasaje se refiere.
157　Véase v. n. 434-435 y 502-505.
Sobre San Diego, patrón o "dueño soberano" de Alcalá, véa-

JUAN.	¿De la corte se desvía
	quando el celebrado día
	de San Juan tan cerca está?
CELIA.	Para los tristes no ay fiesta.
JUAN.	Pues, Celia, verla me importa:
	la visita será corta;
	sólo le quiero dar ésta
	que le ha venido en un pliego,
	y me dize quien la embía
	que sólo de mí confía
	el darla.
CELIA.	Yo salgo luego. (*Vase.*)

160

165

se Lope de Vega, *San Diego de Alcalá* (Rivad., LII, 515-533).
Tirso, *En Madrid y en una casa* (Rivad., V, 531 c), III, 3:

> "A San Diego de Alcalá
> la llevó su devoción."

Id., 9: "... salió desta corte... a cumplir palabras dadas a
Dios y a San Diego."

Sobre el voto de la novena, véase Lope de Vega, *Al pasar
del arroyo* (Rivad., XXIV, 388 b), I, 4:
"En mi enfermedad hice una promesa a San Diego; y así,
me parto a Alcalá."—En la pág. 392 y sigts., escenas en el
camino de Madrid a Alcalá. En la pág. 392 b:

> "Alcalá de noche ha sido
> siempre lugar temeroso."

Véanse las escenas en San Diego de Alcalá, en Alarcón,
Todo es ventura (Rivad., XX), III, y sigts.
159-160   "El celebrado día de San Juan." Véanse v. n. 415-
417, 425, 714-739 y 919.
Los disturbios hicieron prohibir la fiesta del Manzanares
en 1642.
168   Celia sale de escena; pero oye aún lo que hablan Don
Juan y Beltrán. Véase v. n. 1521 y sigts.

[ESCENA III]

[DON JUAN y BELTRÁN.]

BELTRÁN.

No ay pobre con calidad:
si un villano rico fueras,   170
a fe que nunca tuvieras
en verla dificultad.

JUAN.

Si ella está tan de camino,
que es justa la escusa creo.

BELTRÁN. *Lo que con los ojos veo...*   175

JUAN. Malicioso desatino.

BELTRÁN. ¿Quánto va que no la ves?

JUAN.

De no alcançar no se ofende
quien lo difícil emprende.
Mas doña Ana es muy cortés.   180

BELTRÁN. Y agora ¿qué hemos de hazer?
Que ella se parte a Alcalá.

JUAN.

En tanto que ausente está,
aguardar y padecer

BELTRÁN. Bueno fuera acompañalla.   185

JUAN.

Si como quien soy pudiera,
forçoso el hazerlo fuera,
si assí entendiese obligalla;
mas ni me ayuda el poder,
ni ella lo agradecería,   190

---

169 Véase v. n. 1-4.

175 "Lo que con los ojos miro, con el dedo lo adivino", Correas, *Vocabulario*, edic. 1906, pág. 200 *b*. *Quijote*, II, cap. LXII: "Lo que con los ojos veo con el dedo lo señalo."
Pero Mexía, *Silva*, III, XIII, pág. 421 (1556):
"Y al cabo concuerdan todos en un remedio [para el amor], *que es adevinar con el dedo*, que la mejor medicina y remedio es que... le den y junten con la mujer por él amada."

177 Véase v. n. 1712.

por la nota que daría
si se llegase a entender.

BELTRÁN.   Ella sale.

JUAN.   Di, Beltrán,
que la Aurora bella y clara.

[ESCENA IV]

(*Salen* DOÑA ANA, *viuda, y* CELIA, *y habla a* CELIA *aparte.*
[DON JUAN *y* BELTRÁN].)

ANA.   [*Ap. a* CELIA.]
¡Ay, Celia, y qué mala cara   195
y mal talle de don Juan!

JUAN.   Aunque me dixo, señora,
Celia vuestra ocupación
—Con que fuera más razón
el no estorvaros agora—,   200

                    (*Dale la carta.*)

la importancia contenida
en esta carta que os doy,
me disculpa.

ANA.   Nunca estoy,
señor don Juan, impedida
para recebir merced   205
de tan noble cavallero.

JUAN.   Vuestro soy: respuesta espero.
Si sois servida, leed.

ANA.   Ser descortés me mandáis.

JUAN.   Leed, que importa una vida   210
que cerca está de perdida
si remedio no le dais.

195-196 Véase v. n. 2665-6.

ANA.	Si está su defensa en mí,
	la pena y temor dexad.
JUAN.	El caso es grave: mandad
	que estemos solos aquí;
	que tenemos que tratar,
	y el secreto es importante.
ANA.	Dexadnos solos.
BELTRÁN.	*(Ap.)* Amante
	fué el inventor de engañar.

215

220

(Vanse BELTRÁN *y* CELIA.)

[ESCENA V]

[DOÑA ANA *y* DON JUAN.]

JUAN.   Pues contigo solo estoy,
por que mi recato veas,

(Va a leer DOÑA ANA, *y detiénela.)*

oye, señora: no leas;
que la carta viva soy.

Que me atreva, no te altere,   225
pues estoy solo contigo,
y un agravio sin testigo
al punto que nace muere.

Desde que la vez primera
vi la luz de tu arrebol,   230
dos vezes la ha dado el sol
a los signos de su esfera.

Como al que el rayo tocó
de Júpiter vengativo,

---

229 y sigts. Véase *La verdad sospechosa,* v. n. 388.
233 Virgilio, *Eneida,* VII. 761-782, Hipólito. Fué Escula-
pio quien le volvió a la vida. Reed supone que Alarcón quiere
decir que el mismo Júpiter le volvió a la vida, y, así, achaca
a Alarcón un error que no ha cometido.

por gran tiempo muerto, vivo   235
en un instante quedó;
  como aquel que la cabeça
de la Gorgona mirava,
por un peñasco trocava
la humana naturaleza;   240
  tal en viéndote me veo,
tan absorto y admirado,
que en admirarme ocupado,
no doy lugar al deseo;
  que essos divinos despojos   245
tanta gloria me mostraron,
que al punto me arrebataron
toda el alma por los ojos.

ANA.   Tened, don Juan: esso ¿pára
todo en que amor me tenéis?   250

JUAN.   No, porque ya lo sabéis,
y en vano el tiempo gastara.

ANA.   ¿En que os morís?

JUAN.   No, señora,
pues ni en morir parará;
que en el alma vivirá   255
el amor que os tengo agora.

ANA.   ¿Pára en pedirme que os quiera?

JUAN.   Ni llega, señora, aí,
que no ay méritos en mí
para que a tal me atreviera.   260

ANA.   Pues dezid lo que queréis.

JUAN.   Quiero... Sólo sé que os quiero,
y que remedio no espero,
viendo lo que merecéis.
  Como el mísero doliente,   265
en el lecho fatigado,
a cualquier parte inclinado
los mismos dolores siente,

y, por huir del tormento,
que en cada lado es mayor,   270
busca alivio a su dolor
en el mismo movimiento:
    assí yo con mi cuidado
vengo a vos, dueño querido,
no de esperança induzido,   275
sino de dolor forçado,
    por no morir con callallo,
no por sanar con dezillo;
que es impossible el sufrillo
como lo es el remediallo.   280
    Y assí, no os ha de ofender
que me atreva a declarar,
pues va junto el confessar
que no os puedo merecer.

ANA.   ¿Queréis más?
JUAN.   ¿Qué más que a vos? 285
Si entender queréis mi estado,
en que os quiero está cifrado.
ANA.   Pues, señor don Juan, adiós.
JUAN.   Tened: ¿no me respondéis?
¿Desta suerte me dexáis?   290
ANA.   ¿No avéis dicho que me amáis?
JUAN.   Yo lo he dicho, y vos lo veis.
ANA.   ¿No dezís que vuestro intento
no es pedirme que yo os quiera,
porque atrevimiento fuera?   295
JUAN.   Assí lo he dicho y lo siento.
ANA.   ¿No dezís que no tenéis
esperança de ablandarme?
JUAN.   Yo lo he dicho.
ANA.   ¿Y que igualarme
en méritos no podéis,   300
    vuestra lengua no afirmó?

JUAN.   Yo lo he dicho de esse modo.
ANA.   Pues, si vos lo dezís todo,
          ¿qué queréis que os diga yo?   *(Vase.)*

[ESCENA VI]

JUAN.   ¡Ho! venga la muerte, acabe   305
          con vida tan desdichada,
          que sólo puede su espada
          remediar pena tan grave.
              ¿Qué delito cometí
          en quererte, ingrata fiera?   310
          ¡Quiera Dios!... Pero no quiera;
          que te quiero más que a mí.

[ESCENA VII]

(*Salen* CELIA *y* BELTRÁN.—[DON JUAN].)

CELIA.   ¡Ha, desdichado don Juan!
BELTRÁN.   [*A* CELIA.] Ayúdale.
CELIA.   ¡A Dios pluguiera
          que mi voluntad valiera!   *(Vase.)* 315

---

309 Es verso idéntico al del célebre monólogo de "Segis-
mundo" en Calderón, *La vida es sueño*, I, 2, v. n. 105, página 44, ed. de M. Krenkel, Leipzig, 1881.
   Véase v. n. 1514.
310 Hartzenbusch puntúa:

          "en quererte, ingrata, fiera."

dando a "fiera" el valor de "orgullosa".

[ESCENA VIII]

BELTRÁN.   Pues, ¿qué tenemos?
JUAN.   Beltrán:
          La verdad huyo; a la esperança pido
        engaños que alimenten mi deseo;
        eternos contra mí impossibles veo;
        nado en un golfo, ni de un leño assido.   320

          Con el buelo de amor más atrevido,
        no subo un passo; y aunque más peleo,
        al fin vencido soy de lo que creo,
        vencedor sólo en lo que soy vencido.

          Assí, desesperado vitorioso,   325
        niego al deseo engaños, y a la gloria
        más vivo anhela, si su muerte sigo.

          ¡Triste, donde es el no esperar forçoso,
        donde el desesperar es la vitoria,
        donde el vencer da fuerça al enemigo!   330
BELTRÁN.   ¡Triste, donde es forçoso andar contigo,
        donde hallar qué comer es gran vitoria,
        donde el cenar es siempre de memoria!

                                        (Vanse.)

---

327   Así en la princeps. Miss Bourland pone "anhelo". Reed
advierte que el sujeto de este verbo es el "deseo", el "deseo"
que "anhela" la gloria más vivamente cuanto más se procura
matarlo.

[*Sala en casa del* CONDE, *en Madrid.*]

[ESCENA IX]

(*Salen el* CONDE, DON MENDO *y* ORTIZ, *escudero.*)

MENDO.   A mi señora Lucrecia
      dad, Ortiz, esse papel.   335

                (*Dale un papel a* ORTIZ.)

ORTIZ.   Guárdeos Dios.   (*Vase.*)
MENDO.   Cosa crüel.
      Conde, es una muger necia.
CONDE.   ¿Cómo?
MENDO.   Con zelos y amor
      sale Lucrecia de sí.
CONDE.   ¿Con causa don Mendo?
MENDO.   Sí;   340
      mas tanto el yerro es mayor.
        Si por doña Ana estoy ciego.
      ella ¿qué ha de remediar
      con reñir y con zelar,
      sino añadir fuerça al fuego?   345
CONDE.   [*Ap.*] ¡Quieran, Lucrecia, los cielos
      que te mude esta mudança,
      y a mi perdida esperança
      abran la puerta tus zelos!—
        Y vos ¿qué le respondéis?   350
MENDO.   Nunca el negar hizo daño.
CONDE.   Mejor fuera el desengaño,
      si en otra parte queréis.
MENDO.   Dañarme, Conde, podría;
      que su amor causó en mi pecho   355
      terrible incendio, y sospecho
      que ay centellas todavía.

Y quien antiguo cuidado
arraigado al alma tiene,
ha de obligar el que viene   360
sin despedir el passado;
   que mil vezes se agradó
de la novedad Cupido,
y buelve a buscar, rendido,
lo que arrogante dexó.   365

CONDE.   Avariento sois de amor.
MENDO. Más el de doña Ana estimo.
CONDE. Y ella ¿os quiere?
MENDO.   Pienso, primo,
que merezco su favor.
CONDE.   ¿Que ay de Teodora?
MENDO.   Quería   370
que yo fuesse su marido,
como si huvieran nacido
mis abuelos en Turquía.
CONDE.   Sin ser loca, yo no creo
que ninguna muger pida   375
la esclavitud de una vida
por la muerte de un deseo.
MENDO.   Pues ya, después que mi amor
sacó pies amedrentado,
en ella crece el cuidado   380
y, al passo dél, mi rigor.
   Ya, sin essa condición,
estimara mis favores.
CONDE. Dichoso sois en amores.
MENDO. En el signo de León,   385
   Marte y Venus concurrieron
de mi nacimiento el día;
y, si ay cierta astrología,
ellos amable me hicieron.
   Mas, adiós, primo, que es tarde   390

	dilatar esta partida?	430
ANA.	Si sabes que estoy muriendo	
	por dar la mano a don Mendo,	
	y no ay cosa que lo impida	
	sino el cumplir las novenas	
	que a San Diego prometí,	435
	¿dilataré, estando assí,	
	el remedio de mis penas?	
	Con esta traça que doy	
	ninguna queda quexosa.	
CELIA.	Hágate el cielo dichosa.	440
	A dalles la nueva voy.	
ANA.	Encárgales, por mi vida,	
	el secreto.	
CELIA.	Assí lo haré.—	
	Don Mendo viene. *(ase.)*	
ANA.	Tendré	
	buen agüero en la partida.	445

[ESCENA XII]

(*Sale* DON MENDO, *de color.*—[DOÑA ANA].)

MENDO.   Los campos de Alcalá, bella señora,
           desdeñan los favores del verano,
           y de la fértil Flora
           no solicitan ya la diestra mano,
           después que primaveras les reparte   450
           la dichosa esperança de mirarte.

434-435   Véase v. n. 157 y 502-505.
451   Véase v. n. 476. Sobre el simbolismo de los colores consúltese: H. A. Kenyen, "Color symbolism in early Spanish ballads", *Romanic Review*, 1915, VI, 327-340, que trata de los romances moriscos y artísticos; la reseña del profesor F. O. Reed, que vengo aprovechando en estas notas (pág. 176, particular-

Los arroyos —que esperan ser espejos
en quien de essos dos soles celestiales
se miren los reflexos—
transforman sus corrientes en cristales; 455
y el agua, en cambio de bessallos, grata
haze a tus blancos pies puente de plata.

Al nuevo sol que nace agradecidas.
en verdes ramos las cantoras aves,
a coros divididas, 460
dando a los vientos músicas süaves,
para explicar la gloria deste día
articular intentan su armonía.

Parte ¡o feliz! que el zéfiro süave
lisongear pretende codicioso 465
la rodadora nave,
de nueva Europa Júpiter dichoso,
por quien, en Indias buelto Mançanares,
España de sus glorias haze a Enares.

---

mente), y S. G. Morley, "Color symbolism in Tirso de Molina",
Rom. Rev., 1917, VIII, 77-81. El morado representa amor;
el verde, esperanza (como en estos versos de Alarcón); el
azul, celos; el amarillo, desesperanza; el leonado, congoja; el
naranjado, constancia (aunque Lope, en *La hermosa aborre-
cida*, II, 7, dice que es color de satisfacción); el negro, pena
y luto; el pardo, aflicciones; el blanco, castidad; el rojo, unas
veces alegría y otras crueldad. Añádanse a las notas de
S. G. Morley los trozos de *Los cigarrales* (como el de la página 92, ed. V. Said Armesto, Madrid, 1913):

"Salió vestida Irene de tabí de plata y verdemar; Narcisa,
de encarnado, etc..."

Quevedo, en sus *Premáticas* (Rivad., XXIII, 429) se queja:
"Quítanse las significaciones de las colores, que son muy
enfadosas."

468 Indias, véase v. n. 865.

469 Así como el galeón de Indias trae su riqueza a España, el coche de Manzanares (Madrid) lleva su gloria (doña
Ana) a Henares (Alcalá).

Parte ¡o primero móvil adorado!,   470
de quien siguiendo voy el movimiento,
si bien arrebatado
—pues tras mi centro corro—, no violento,
que yo, si lo merezco, gloría mía,
voy a ser el luzero de esse día.   475

ANA.   Los campos de esperança matizados,
la consonancia dulce de las aves,
los cristales quaxados,
las lisonjas del zéfiro süaves,
en nada estimo; y estimara sólo   480
llevar por mi luzero al mismo Apolo.

Mas, quando el coraçón lo solicita,
forçosa acción de amor correspondiente,
ni el honor acredita,
ni el estado que tengo lo consiente.   485

MENDO.   Es imán de mis ojos tu presencia.

---

470 El *primum mobile* es la esfera que lleva consigo las
estrellas en su movimiento. Véase *La prueba de las promesas*, II, 1:

"Blanca es el centro, ¡ay de mí!
en quien vivo y por quien muero,
y el cielo móvil primero
que me lleva tras de sí."

Véase *La verdad sospechosa*, v. n. 781 y sigts.
Véase Cervantes, *La ilustre fregona* (Rivad., I, 190 *b*) :

"Cielo impíreo, donde amor
tiene su estancia segura:
primer moble que arrebata
tras sí todas las venturas."

He aquí el orden de los once cielos en el sistema ptole-
maico: Luna, Mercurio, Venus, Sol, Marte, Júpiter, Saturno,
Firmamento, Cristalino, Primer móvil y Empíreo. Véase sobre
esto la nota de Américo Castro en su edición de *La viña de
Nabot*, de Rojas Zorrilla (*Teatro antiguo español*, II, Madrid, 1917, pág. 260, n. 281.)

ANA.   Justo efecto de amor es la obediencia.
MENDO.   ¿Sin ti quieres dexarme?
ANA.   Yo, don Mendo,
          parto sin ti.
MENDO.   ¿Qué mucho? Vas elada
          quando yo quedo ardiendo.   490
ANA.   ¡Segura fuesse yo, como abrasada!
MENDO.   No me apartes de ti si desconfías.
ANA.   Vive el recato entre las ansias mías.
MENDO.   ¿No me llamas tu dueño?
ANA.   Y de mis ojos,
          cierta lengua del alma, lo has sabido.   495
MENDO.   ¿De quién temes enojos,
          quando te adoro yo, de ti querido?
ANA.   Hasta el "sí" conjugal temo mudança;
          que no ay dentro del mar cierta bonança.
              En tanto que a mis deudos comunico   500
          la dichosa elección de vuestra mano,
          y devota suplico
          en Alcalá a su dueño soberano
          que lleve a fin feliz mi intento nuevo,
          y las novenas pago que le devo,   505
              puede mudarse vuestro amor ardiente
          y quedar mi opinión en opiniones
          del vulgo maldiciente,
          que a lo peor aplica las acciones.
MENDO.   ¿Mudarme yo?
ANA.   Temores son de amante.   510
MENDO.   Más parecen cautelas de inconstante.
              Si ya nuevo cuidado te fatiga,
          el fingido recato, ¿qué pretende?

502-505 Véase v. n. 157 y 434-435.

507 Andar mi reputación en lenguas. Véase *La verdad
sospechosa*, v. n. 933-4, y *La industria y la suerte*, I, 4: "La
opinión quieres perder."

Declárate, enemiga:
no el desengaño, la mudança ofende.   515
Vete segura: ocuparé entre tanto
el alma en zelos y la vida en llanto.

ANA.   Ofendes mi lealtad si desconfías;
mas porque de tu error te desengañes,
pon secretas espías,   520
prueva mi fe, como mi honor no dañes.

MENDO.   Confiança tendré, mas no paciencia,
contra el rigor, señora, de tu ausencia.

[ESCENA XIII]

(*Sale* CELIA.—[DICHOS].)

CELIA.   Doña Lucrecia, señora,
viene a visitarte.

ANA.   ¿Quién?   525

CELIA.   Tu prima.

MENDO.   [*Ap.*]   A impedir mi bien
la trae mi desdicha agora—.

[ESCENA XIV]

(*Sale* LUCRECIA, *con manto, y* ORTIZ.—[DICHOS].)

LUCRECIA.   No quise, prima, dexar
de verte en esta partida.

ANA.   Ni yo, Lucrecia querida,   530
me partiera sin passar
por tu casa, porque el ver
al passar tu rostro hermoso,
fuesse presagio dichoso
del viage que he de hazer.   535

LUCRECIA.   [*Ap. de* DOÑA ANA.]
    Niégame agora, traidor,
   las verdades que estoy viendo.—
ANA.   ¿Qué le dizes a don Mendo?
LUCRECIA.   Del vestido de color
    le pregunto la ocasión;   540
   porque de irte a acompañar
   lo indicia el tiempo y lugar,
   y fuera galante acción.
ANA.   Tan alto merecimiento
   con mi humildad no conviene,   545
   y, más que lisonja, tiene
   malicia esse pensamiento.
    Mas, si conmigo partiera,
   de parecer, prima, soy,
   que, pues yo de negro voy,   550
   de color no se vistiera.
CELIA.   Ya bien te puedes partir,
   que los coches han venido.
ANA.   Que no me olvides te pido.
LUCRECIA.   Por puntos te he de escrivir.   555
ANA.   Adiós, don Mendo.
MENDO.   Señora,
   en el coche os dexaré.
ANA.   Si alguno en la calle os ve,
   sospechará lo que aora
    ha sospechado mi prima.   560
   Quedaos y salid después. (*Vase.*)
MENDO.   [*Ap. de* LUCRECIA.]
   Yo obedezco, y vuestros pies
   sigue el alma que os estima.—
      [*Vanse* DOÑA ANA y CELIA.]

---

539 Vestido de color para el viaje. Como en *Los favores del mundo*, I, 1, aparecen "Don García", y su criado.
556 Véase *Por puntos: La verdad sospechosa*, v. n. 394.

[ESCENA XV]

[Doña Lucrecia, Don Mendo y Ortiz.]

(*Saca un papel* Lucrecia *y muéstraselo a* Don Mendo.)

LUCRECIA.   ¿Conoces este papel?
MENDO.   Yo, Lucrecia, lo escriví.   565
LUCRECIA.   Junta lo que has hecho aquí
con lo que dizes en él.
      Traidor, fingido, embustero,
engañoso, ¿a ti te dan
apellido de Guzmán   570
y nombre de cavallero?
      ¿Qué sangre puede tener
quien tiene pecho traidor?
¿Es hazaña de valor
engañar una muger?   575
MENDO.   Oye, señora...
LUCRECIA.   No muevas
essos fementidos labios;
que intentas nuevos agravios
con satisfaciones nuevas.
MENDO.   Pues ¿qué quieres? ¿condenarme,   580
sin oir satisfación,
por sola una presunción?
LUCRECIA.   ¿Qué disculpa puedes darme?
      ¿Presunción llamas, traidor,
esta tan clara provança   585
de mi agravio y tu mudança?
MENDO.   En lo que fundas mi error
fundo la satisfación.
      ¿No te dixo de mi parte
tu escudero, que de hablarte   590
deseava una ocasión,

          donde el descargo sabrías
          del rezelo que te abrasa?
          Tuve aviso de tu casa
          que a ver tu prima salías,   595
            y vine a esperarte aquí,
          y adelantéme en llegar,
          por no dar que sospechar
          viéndome venir tras ti.
            ¡Mira por qué me condenas!   600

LUCRECIA.   ¿De modo que te disculpas
          multiplicando tus culpas
          y acrecentando mis penas?
            Causa doña Ana mi daño,
          ¡y con hallarte con ella   605
          das remedio a mi querella!

MENDO.   Porque fuesse el desengaño
          en su presencia más fuerte.

LUCRECIA.   ¿Qué desengaño me diste?

MENDO.   Como tu pena encubriste,   610
          no quise, hablando, ofenderte;
            mas ten cierta confiança,
          para assegurar tus zelos,
          que en el orden de los cielos,
          antes que en mí, avrá mudança.   615
          Tuyo soy.

LUCRECIA.   Las obras creo.

MENDO.   Presto, con la voluntad
          de tu padre, su verdad
          te mostrará mi deseo.

---

613   Asegurar: *Quijote*, I, 27: "segura... de la traición".

[ESCENA XVI]

(*Sale el* CONDE.—[DICHOS].)

CONDE.   [*Ap.*] ¿Dónde ay con zelos cordura?—   620
         ¡Lucrecia hermosa! ¡Don Mendo!
MENDO.   Conde, que venís entiendo
         traído de mi ventura;
            que Lucrecia ha de saber
         de vos lo que hablamos oy   625
         de su amor.
CONDE.   Testigo soy.
MENDO.   Eso a solas ha de ser;
            que pensará que os obligo
         con mi presencia a abonarme. (*Vase.*)

[ESCENA XVII]

[*El* CONDE, DOÑA LUCRECIA, ORTIZ.]

LUCRECIA.   [*Ap.*] ¡Tú dexas, para informarme   630
            en tu favor, buen testigo!—
CONDE.   ¿He de dezir la verdad?
LUCRECIA.   Para esso quedas aquí.
CONDE.   Pues escúchala de mí,
            pagues o no mi lealtad.   635
               Y por prevenir el daño,
            si acaso no me creyeres,
            ten secreto lo que oyeres
            y averigua si es engaño.
               Que, pues me dixo don Mendo   640
            que cuente lo que oy passó,
            cumpliendo lo que él mandó,
            nadie dirá que le ofendo;

que, aunque su intento aya sido
que use contigo de engaño, 645
no devo para mi daño
darme yo por entendido.—

Dando oy para ti un papel
don Mendo a Ortiz, tu crïado,
desdeñoso y enfadado, 650
me dijo: "¡Cosa crüel,

Conde, es una muger necia!
Después que a doña Ana di
en servir, sale de sí
de amor y zelos Lucrecia." 655

Yo le dixe: "¿No es mejor
no engañarla?" Y respondió:
"Mil vezes lo que dexó
bolvió a desear amor,

y este caso previniendo, 660
nada pierdo en conservalla."

LUCRECIA.   ¿Qué enredos inventas? Calla.
¿Tal pudo dezir don Mendo?

¿Que tu afición agradezca
quieres assí disponer? 665
¿Piensas que te he de querer
aunque a don Mendo aborrezca?

CONDE.   Oye.
LUCRECIA.   No me digas nada.
CONDE.   Averígualo advertida,
y dame pena ofendida, 670
o premio desengañada.

Y, si por amarte yo,
duda en mi verdad has puesto,
sírvate de indicio aquesto,
ya que de provança no: 675

---

651 y sigts.   Véase I, 9; v. n. 336-337 y sigts.

él va tras ella a Alcalá,
y no es éste mal testigo
del desengaño que digo.
Despacha tú quien allá,
  con cuidado y sin passión,   680
secretamente lo siga;
y, si mi verdad te obliga,
premia un leal coraçón;
  que será culpable error
que prefiera (en) tu cuidado   685
un engaño averiguado
a un averiguado amor.

LUCRECIA.   La verdad diziendo estás,
que si negándola estoy,
no es que crédito no doy,   690
síno que pena me das.
  ¡Ha, falso! ¡Ha, mal cavallero.
¡Plega a Dios que, en igual grado
amante y desengañado,
prueves el mal de que muero!   695
  ¡Plugiera a Dios, Conde mío,
pudiera, en esta ocasión,
mudarse la inclinación
al passo del albedrío!
  Mas vive cierto, señor,   700
que, si me has dicho verdad,
te dará mi voluntad
lo que te niega mi amor.

CONDE.   Yo lo estimo de essa suerte.
LUCRECIA. Tanto más me deverás   705
quanto me forçare más,
Conde, por corresponderte.   (Vanse.)

[*La calle mayor de Madrid, y en ella la casa
de* DOÑA ANA.]

[ESCENA XVIII]

(*Salen* DON JUAN *y* BELTRÁN, *de noche.)*

BELTRÁN.   El duque Urbino esta noche
                  bien pudiera perdonarte.
JUAN.   ¿Qué puede querer?
BELTRÁN.   Llevarte   710
                  querrá consigo en el coche,
                  amarrado a un duro vanco,
                  sin poderte entretener,
                  quando el dezir y el hazer
                  anda por las calles franco.   715
                      Que, noche de San Juan, hallo,
                  si un peón sabe embestir,
                  que suele solo rendir
                  más que treinta de a cavallo;
                      que ay muger que, en el engaño   720
                  que en esta noche previene,
                  librados los gustos tiene
                  de los deseos de un año.

---

708   Seis días después de la escena anterior, según se dedu-
ce de los versos núms. 414 y sigts., Doña Ana está de vuelta
en Madrid a pasar la noche de San Juan, según lo ofreció a
Celia. (C. B. Bourland, pág. 171.)

712   Probable reminiscencia del conocido romance de Góngora:

> "*Amarrado al duro banco
> de una galera turquesca.*"

(Año 1583.)

714-739   Véase v. n. 159-160, 415-417, 425 y 919.

Quál llega al poblado coche
de angélica gerarquía,   725
y, siendo page de día,
passa por marqués de noche;
    quál sin pensar se acomoda
con la viuda disfraçada,
que, entre galas de casada,   730
hurta los gustos de boda;
    quál encuentra y desbarata
una sarta de donzellas,
de quien son las manos bellas
engasaduras de plata;   735
    quál se llega a las que van
brindando los retoçones,
y trueca a mil refregones
un pellizco que le dan.

JUAN.   Quien los encuentros enseña,   740
          encuentre con un azar.

BELTRÁN.   ¿Es el azar encontrar
          una muger pedigüeña?
              Si ésse temes, en tu vida

---

739 y sigts. Véase *La verdad sospechosa*, 293 y sigts.
740-1 Véase Lope, *La noche toledana*, III, 7:

"En el revés del *azar*
está el *encuentro* pintado."

Tirso, *Palabras y plumas*, II, 9:

"—¿El primer *encuentro*
es Laura? Llámole *azar*."

Azar es el punto que pierde en los dados, y *encuentro* es la
jugada que gana: concurrencia de dos puntos iguales.
743 Véase *La verdad sospechosa*, I, 3: *El semejante a sí
mismo*, I, 1, v. n. 16-17; *Todo es ventura*, I, 14, v. n. 19-48;
Mudarse por mejorarse, I, 11, v. n. 4-15. Compárese con
Lope, *La noche toledana*, I, 6: "El médico está mirando", etc.

en poblado vivirás,   745
porque ¿dónde encontrarás
hombre o muger que no pida?

Quando dar gritos oyeres,
diziendo: "¡Lienzo" a un lencero,
te dize: "Dame dinero,   750
si de mi lienço quisieres."

El mercader claramente
diziendo está sin hablar:
"Dame dinero, y llevar
podrás lo que te contente."   755

Todos, según imagino,
piden, que para vivir,
es fuerça dar y pedir
cada uno por su camino:

con la cruz el sacristán,   760
con los responsos el cura,
el monstro con su figura,
con su cuerpo el ganapán;

el alguazil con la vara,
con la pluma el escrivano,   765
el oficial con la mano
y la muger con la cara.

Y ésta, que a todos excede,
con más razón pedirá,
pues que más que todos da,   770
y menos que todos puede.

Y el miserable que el dar
tuviere por pesadumbre
—ellas piden por costumbre—
hago costumbre en negar;   775

que tanto, desde que nacen,
el pedir usado está,
que pienso que piden ya
sin saber lo que se hazen:

	y assí, es fácil el negar;	780
	porque se puede inferir	
	que quien pide sin sentir,	
	no sentirá no alcançar.	
JUAN.	Aunque más razones halles,	
	no has de quitarme el temor,	785
	Beltrán; que el azar mayor	
	es el no tener que dalles:	
	y más si la que he adorado	
	se dignasse de mis dones.	
BELTRÁN.	¿Aún te duran tus passiones?	790
JUAN.	Ardo más, más desdeñado.	
BELTRÁN.	Éste es el Duque.	

[ESCENA XIX]

Salen el DUQUE *y* DON MENDO, *de noche.—*[DON JUAN
y BELTRÁN.])

DUQUE.	¡Don Juan!	
JUAN.	Deme los pies vueselencia.	
DUQUE.	Ya acusava vuestra ausencia.	
JUAN.	Si don Mendo de Guzmán,	795
	Apolo de discreción,	
	acompañándoos está,	
	señor, ¿qué falta os hará	
	el que en su comparación	
	luz de una estrella no embía?	800
MENDO.	Merced recibo de vos.	
DUQUE.	La amistad de entre los dos	
	estraña la cortesía.	
JUAN.	Dezidme, pues, el intento	
	con que hemos sido llamados.	805
MENDO.	Aquí tenéis dos criados.	
DUQUE.	Dadme, pues, oído atento.	
	Hombre que a la corte viene	
	rezién heredado y moço	

—pájaro que estrena el viento,   810
nave que se arroja al golfo—,
que a los ojos de su Rey
y a los populares ojos,
ni deve mostrar flaqueza
ni puede esconder el rostro,   815
ha de regir sus acciones
por los expertos pilotos,
obligados, por parientes;
por amigos, cuidadosos.
Con esta ley os obligo,   820
y con esta fe os escojo
capitanes veteranos
deste soldado visoño.
Acompañadme los dos,
advertidme lo que ignoro,   825
dezidme el nombre, el estado
y la calidad de todos;
y en lo de las cortesías
principal cuidado os pongo,
advirtiendo que con nadie   830
pretendo pecar de corto;
que el señor siempre es señor,
como Apolo siempre Apolo,
aunque en lugares indignos
entren sus rayos hermosos.   835
Lengua honrosa, noble pecho,
fácil gorra, humano rostro,
son voluntarios Argeles
de la libertad de todos.

---

838   Tirso, *En Madrid y en una casa* (Rivad., V. 547 *c*
y 548 *a*), II, **XII**:

    "—¿No es bellísima?
                              —Y no necia.
    —Es Argel del alma mía."

                    Enseñadme los baxíos   840
                en que tocar suelen otros;
                quál es Acates fïel,
                y quál Senón cauteloso;
                ya del dulce lisongero
                el veneno en vaso de oro,   845
                ya la canora sirena,
                porque me defienda sordo.
                Al fin, los dos sois el hilo; *thread*
                la corte, el cretense monstro:
                por mí corren mis aciertos,   850
                y mis yerros por vosotros.

MENDO.   Yo confiesso que es muy débil *weak*
                para esse cielo este polo;
                mas suplirán mis deseos
                el defecto de mis hombros.   855

JUAN.   De no ser un Quinto Fabio
                oy con mi suerte me enojo;
                mas el que soy, obediente
                a serviros me dispongo.

---

842   Acates es el amigo de Eneas.

843   Sinón, el falso amigo de los troyanos, que introdujo en Troya el caballo de madera.

847   Alusión al episodio de la *Odisea*, XII, que el secretario Gonzalo Pérez puso en aquellos pobres versos de su *Ulixea*:

> "Al pasar por allí, ternaste afuera,
> y atapa las orejas a los tuyos
> con cera, porque no puedan oirlas", etc.

848-9   Alude al laberinto de Creta, en que vivía "el cretense monstruo", el Minotauro —hijo de Pasife y el toro— y al hilo de Ariadna, mediante el cual pudo Teseo escapar del Laberinto de Creta.

856   *Quintus Fabius Cunctator* † 206 a J. C., célebre por su prudencia.

DUQUE.	Con esso, en nombre de Dios,	860
	seguro a la mar me arrojo.	
	Vamos andando las calles	
	mientras pregunto y me informo.	
MENDO.	Esta es la calle Mayor.	
JUAN.	Las Indias de nuestro polo.	865
MENDO.	Si ay Indias de empobrecer,	
	yo también Indias la nombro.	
JUAN.	Es gran tercera de gustos.	
MENDO.	Y gran cosaria de tontos.	
JUAN.	Aquí compran las mugeres.	870
MENDO.	Y nos venden a nosotros.	
DUQUE.	¿Quién habita en estas casas?	
JUAN.	Don Lope de Lara, un moço	
	muy rico, pero más noble.	
MENDO.	Y menos noble que tonto.	875

(Hazen dentro ruido de bailar.)

DUQUE.	Tened, que bailan allí.	
JUAN.	San Juan es fiesta de todos.	
MENDO.	Yo asseguro que van éstos	
	más alegres que devotos.	
DUQUE.	¿Quién vive aquí?	
JUAN.	Una viuda,	880
	muy honrada y de buen rostro.	

---

865 Véase v. n. 469: Indias. Lo más rico de la ciudad.
868 Véase v. n. 1431.
869 Véase *La verdad sospechosa*, I, 3, v. n. 237 y sigts. Véase también *Ganar amigos*, I, 3. Compárese con Tirso, *Quien calla, otorga*, I, 7:

"Hay en la calle Mayor", etc.

y *La celosa de sí misma*, I, 1:

"—Brava calle.
—Es la Mayor,
donde se vende el amor
a varas, medida y peso."

MENDO.	Casta es la que no es rogada:
	alegres tiene los ojos.
BELTRÁN.	*(Ap.)* ¡Bien aya tan buena lengua!
	¡Vive Christo, que es un Momo!

885

JUAN.	Esta imagen puso aquí
	un estrangero devoto.
MENDO.	Y, entre aquestas devociones,
	no le sabe mal un logro.
JUAN.	Un regidor desta villa

890

	hizo este hospital famoso.
MENDO.	Y primero hizo los pobres.
BELTRÁN.	*(Ap.)* Por Dios, que lo arrasa todo.

[ESCENA XX]

(Salen Doña Ana y Celia a la ventana.—[Dichos *en la calle.]*)

ANA.	Oy haze, Celia, tres años
	que mi esposo, con sus días,
	dió fin a mis alegrías
	y dió principio a mis daños.
CELIA.	Si de Alcalá te veniste
	sólo a gozar la alegría
	que Madrid haze este día,
	¿por qué quieres estar triste?

895

900

882 Ovid., *Amores*, I, VIII, 43: *Casta est quam nemo garovit*.
885 Uno de los hijos de la Noche, dios ridículo. Véase *La prueba de las promesas*, III (Rivad., XX, 414 c).
892 Hace notar Barry que Alarcón quiere representar en "don Mendo" al Conde de Villamediana, de quien es este epigrama contra un regidor. Este regidor bien pudiera ser Juan Fernández (véase el prólogo y L. F.-G., pág. 268) o Juan de Robles (C. B. Bourland, pág. 175).

¿Por qué con esta memoria
tan injusta guerra mueves
contra el contento que deves
a noche de tanta gloria?   905

Ya que tu luto funesto
te impide salir de casa
oy, que los límites passa
el estado más honesto,

y estar quieres encerrada   910
noche que el uso permite
que los altares visite
la donzella más honrada;

con quien passa, tus enojos
divierte, señora mía,   915
y niegue esta zelosía
lo que conceden tus ojos.

Las doze han dado, señora:
oye del segundo esposo
el pronóstico dichoso.   920

ANA.   A don Mendo el alma adora.
MENDO.   Don Juan de Mendoça...
ANA.   ¡Ay, Dios!
¿Don Mendo no es el que habló?
CELIA.   Sí, mas a don Juan nombró.
ANA.   ¿Quién duda que de los dos   925
            es don Mendo de Guzmán
pronóstico para mí?
Pues antes su voz oí
que no el nombre de don Juan.

CELIA.   Mas ¿qué fuera que ordenara   930
el destino soberano
que tu blanca hermosa mano
para don Juan se guardara?
ANA.   Calla, necia. ¿Quién pensó
tan notable desatino?   935

        ¿ Qué importará que el destino
quiera, si no quiero yo?

        Del cielo es la inclinación:
el sí o el no todo es mío;
que el hado en el alvedrío   940
no tiene jurisdición.

        ¿Cómo puedo yo querer
hombre cuya cara y talle
me enfada sólo en miralle?

CELIA.   El amor lo puede hazer.   945

ANA.   Sólo quitará el morirme,
Celia, a don Mendo mi mano;
que está el plazo muy cercano
y mi voluntad muy firme.

DUQUE.   ¿Cuyos son estos balcones?   950

JUAN.   De doña Ana de Contreras:
el sol, por sus vidrieras,
suele abrasar coraçones.

ANA.   Escucha, que hablan de mí.

DUQUE.   ¿Es la viuda de Siqueo?   955

JUAN.   La misma.

DUQUE.   Verla deseo.

MENDO.   Pues agora no está aquí.
    (Ap.) Ni yo en mí, que estoy sin ella.

DUQUE.   ¿Dónde fué?

MENDO.   Velando está
a San Diego en Alcalá.   960

DUQUE.   La fama dice que es bella.

JUAN.   Pues por impossible siento
que en algo la aya igualado
el dibujo que ha formado
la fama en tu pensamiento;   96?

        que en belleza y bizarría,
en virtud y discreción,

vence a la imaginación,
si vence a la noche el día.

MENDO. *(Ap.)* ¡Plega a Dios que esta alabança 970
no engendre en el Duque amor,
que con tal competidor
mal vivirá mi esperança.

Yo quiero dezir mal della
por quitar la fuerça al fuego.— 975
Ciego sois, o yo soy ciego,
o la viuda no es tan bella.

Ella tiene el cerca feo,
si el lexos os ha agradado;
que yo estoy desengañado, 980
porque en su casa la veo.

DUQUE. ¿Visitáisla?

MENDO.   Por pariente,
alguna vez la visito;
que si no, fuera delito,
según es impertinente. 985

ANA. ¡Ha, traidor!

MENDO.   Si el labio mueve
su mediano entendimiento,
elado queda su aliento
entre palabras de nieve.

BELTRÁN. *(Ap. con* DON JUAN.*)*
¡Ya escampa!

---

978 Véase v. n. 1631.
986 Véase v. n. 1666.
986 *Palabras de nieve*, equivale a *sosas*. Así se llamó, a
los bufones sosos, *bufones de nieve*. Véase *Rojas, Cada qual lo
que le toca*, edic. A. Castro, Madrid, 1917, pág. 223, n. 1243.
Góngora (Rivad., XXXII, 514, *c*) :

"Bufones son los estanques,
y en qué lo son lo diré :
en lo *frío* lo primero
que se me ha de conceder."

JUAN.   [*Ap. a* BELTRÁN.]
                                  ¿Que trate assí   990
               un cavallero a quien ama?

BELTRÁN.   Esto dize de su dama:
               ¡mira qué dirá de ti!

MENDO.   Pues la edad no sufre engaños,
               aunque la tez resplandece.   905

ANA.   ¡Ha, falso! ¿Qué te parece? (*A* CELIA.)
               Aun no perdona mis años.

MENDO.   Mil botes son el Jordán
               con que se remoça y laba.

DUQUE.   (*Ap. los dos.*)
               Pues ¿cómo don Juan la alaba?   1000

MENDO.   Para entre los dos, don Juan
                  es un buen hombre; y si digo
               que tiene poco de sabio,
               puedo, sin hazerle agravio.
               Vuestro deudo es y mi amigo;   1005
                  mas esto no es murmurar.

JUAN.   ¡Que queráis poner defeto
               en tan hermoso sugeto!

MENDO.   En la rosa suele estar
                  oculta la aguda espina.   1010

JUAN.   Ellos son gustos, y al mío,
               o del todo desvarío,
               o esta muger es divina.

MENDO.   Poco sabéis de mugeres.

JUAN.   Veréisla, Duque, algún día,   1015
               y acabará esta porfía
               de encontrados pareceres.

MENDO.   (*Ap.*) Don Juan me quiere matar,
               y aquello mismo que he hecho

1001 Véase v. n. 1721.

	para sossegar el pecho	1020
	del Duque, me ha de dañar.	
CELIA.	[*A su ama.*]	
	¿Qué te parece?	
ANA.	Estoy loca.	
CELIA.	¿A este hombre tienes amor?	
ANA.	El pecho abrasa el furor:	
	fuego arrojo por la boca.	1025
	¿Possible es que tal oí?	
	Vil, ¿a quien te quiere infamas?	
	¿Assí tratas a quien amas?	
CELIA.	No ama quien habla assí.	
	El te engaña.	
ANA.	Claro está.	1030
	Di que me traigan un coche:	
	bolvamos, Celia, esta noche	
	a amanecer a Alcalá,	
	que lo que aora escuché,	
	castigo del cielo ha sido	1035
	por aver interrumpido	
	las novenas que empecé.	
CELIA.	Antes este desengaño	
	le deves a esta venida.	
ANA.	Si con él pierdo la vida,	1040
	mejor me estava el engaño. *(Vanse.)*	

[ESCENA XXI]

[DON JUAN y BELTRÁN, el DUQUE y DON MENDO.]

(Hazen dentro ruido de cuchilladas.)

MENDO.	Allí suenan cuchilladas.
DUQUE.	Estas damas, de mi voto,
	sigamos. *(Vase.)*

MENDO.   (*Ap. con* DON JUAN.)
                    Es más devoto
              de mugeres que de espadas.   *(Vase.)* 1045
JUAN.   Y assí al más amigo abona;
              para que advertido estés.
BELTRÁN.   Su lengua, en efeto, es
              la que a nadie no perdona.   *(Vanse.)*

ACTO SEGUNDO

[*Habitación del* DUQUE *en Alcalá de Henares.*]

[ESCENA I]

(Salen el DUQUE, DON JUAN *y* BELTRÁN, *todos de color.)*

DUQUE.   ¿Cómo los toros dexáis?   1050
JUAN.   Viéndome sin vos en ellos,
              estava de los cabellos.
              ¿Del juego, cómo quedáis?
              Que era robado el partido.

1049   Es anticuado en tiempos de Alarcón, y procede del
Romance del Cid. Durán, *Romancero general,* I, p. 567:

> "La que a nadie no perdona,
> a reyes ni a ricos homes,
> a mí, fincado en Valencia,
> llegó a mi puerta y llamóme."

Trátase de la muerte, que, como en Horacio, *equo pulsat
pede pauperum tabernas regumque turres.* (C. B. Bourland,
página 176.)

SEGUNDO ACTO.   Por lo menos acontece tres días después
del anterior, puesto que en aquél doña Ana vuelve de Alcalá
a los seis días de la novena (v. n. 414-422) y aquí aparece
habiendo acabado ya la novena y dispuesta a volverse a Madrid definitivamente (v. n. 1146-7).

DUQUE.   Cogiéronme de picado.   1055
          He perdido, y me he cansado.
JUAN.   Mil cosas avéis perdido:
             el descanso, y el dinero
          y los toros.
BELTRÁN.   ¿Que ay juïzio
          que del cansancio haga vicio,   1060
          y tras un hinchado cuero,
             que el mundo llama pelota,
          corra ansioso y afanado?
          ¡Quánto mejor es, sentado,
          buscar los pies a una sota   1065
             que moler piernas y braços!
          Si el cuero fuera de vino,
          aun no fuera desatino
          sacarle el alma a porrazos.
             Pero ¡perder el aliento   1070
          con una y otra mudança,
          y alcançar, quando se alcança,
          un cuero lleno de viento,
             y quando, una pierna rota,
          brama un pobre jugador,   1075
          ver, al compás del dolor,
          ir brincando la pelota!
JUAN.   El braço queda gustoso,
          si bien la pelota dió.
BELTRÁN. Séneca la comparó   1080
          al vano presuntüoso;
             y essa semejança ha dado
          sin duda al juego sabor,
          porque no ay gusto mayor
          que apalear un hinchado.   1085
             Mas, si miras el contento
          de un jugador de pelota,

    y un caçador, que alborota
con halcón la cuerva al viento,
    ¿por dicha tendrás la risa,   1090
viendo que a pressa tan corta
que, vencida, nada importa,
corre un hombre tan de prissa,
    que apenas tocan la yerva
los cavallos boladores?   1095
¡Válgaos Dios por caçadores!
¿Qué os hizo essa pobre cuerva?

DUQUE.   De la guerra has de pensar
que es la caça semejança,
y assí el ardid, la assechança,   1100
el seguir y el alcançar
es gustoso passatiempo.

BELTRÁN.   ¿Mil contra una cuerba? Sí,
bien dizes; que son assí
las pendencias deste tiempo.   1105

JUAN.   Beltrán, satírico estás.

BELTRÁN. ¿En qué discreto, señor,
no predomina esse humor?

JUAN.   Como matas morirás.

BELTRÁN.   En Madrid estuve yo   1110
en corro de tal tixera,
que la pegava qualquiera
al padre que lo engendró;
    y, si alguno se partía
del corro, los que quedavan   1115
mucho peor dél hablavan
que él de otros hablado avía.

    1106-1108   Véase *El semejante a sí mismo*, III, 6 (Rivad.,
pág. 76 c):

      "—Satírico, Sancho, estás.
      —Pues ¿cuándo yo, mal pecado,
      dese pie no he cojeado?"

Yo, que conocí sus modos,
a sus lenguas tuve miedo,
y ¿qué hago? estoyme quedo 1120
hasta que se fueron todos.
    Pero no me valió el arte;
que, ausentándose de allí,
sólo a murmurar de mí
hizieron un corro aparte.— 1125
    Si el maldiciente mirara
este solo inconveniente,
¿hallárase un maldiciente
por un ojo de la cara?

JUAN.   ¿Fuera por esso peor? 1130

BELTRÁN.   Espántome que esso ignores:
más que cien predicadores
importa un murmurador.
    Yo sé quién ni con sermones,
ni quaresmas, ni consejos 1135
de amigos sabios y viejos,
puso freno a sus passiones,
    ni sus costumbres reduxo
en gran tiempo; y solamente
de temor de un maldiciente, 1140
vive ya como un cartuxo.

DUQUE.   Digo que tenéis, don Juan,
entretenido crïado.

JUAN.   Es agudo, y ha estudiado
algunos años Beltrán. 1145

DUQUE.   ¿Qué ay de doña Ana?

JUAN.   Esta noche
parte, sin duda, a Madrid.

1128 Princeps: *hallaráse.*
1130 Parece que el verso haría más sentido poniendo "mejor" en vez de "peor".
Véase v. n. 20.

DUQUE.	Nuestra invención prevenid.
JUAN.	Ella, Duque, va en su coche;
	su gente, en uno alquilado. 1150
DUQUE.	Bien nos viene.
JUAN.	Assí lo espero.
DUQUE.	¿Apercibióse el cochero?
JUAN.	Ya, señor, lo he concertado.
DUQUE.	¿Y está en los toros doña Ana?
JUAN.	No la he visto; pero sé 1155
	que, quando en ellos esté,
	ni en andamio ni en ventana
	de suerte estará que pueda
	ser de nadie conocida;
	que no por fiestas olvida 1160
	obligaciones que hereda.
DUQUE.	¿Quántos toros vistes?
JUAN.	Tres,
	y entró don Mendo al tercero,
	despreciando en un overo
	al amor y al interés. 1165
	Salió con verde librea,
	robando assí coraçones,
	que aun el toro a sus rejones
	con su muerte lisongea.
DUQUE.	¿Tan bueno anduvo el Guzmán? 1170
JUAN.	En todo es hombre excelente
	don Mendo.
DUQUE.	(Ap.) ¡Quán diferente
	suele hablar él de don Juan!—
	Cansado estoy.
JUAN.	Reposar

1157 Los toros eran en plazas y lugares improvisados; se
alzaban andamios para unos, y otros los veían desde ventanas
de las casas vecinas.

podéis, señor, entre tanto   1175
que da Tetis con su manto
a nuestra invención lugar.

DUQUE. Que a su tiempo me despiertes,
te encargo.   *(Vase.)*

JUAN. Tendré cuidado.

1176 Hartzenbusch creyó que aquí *Tetis* era error, por *Dictis (Dictina)* —que es la noche, o más bien, Diana, la luna—. Pero se trata de Tetis, la esposa de Neptuno, en cuyo seno se sumerge el sol al anochecer. Como observa C. B. Bourland, en el nombre castellano *Tetis* se confunden "Tethys", la esposa de Neptuno, y "Thetis", la madre de Aquiles y esposa de Peleo.

Véase *La manganilla de Melilla*, I, 2:

> "Y ayer, después que escondió
> Tetis, en la alcoua negra
> que dió tálamo a Peleo,
> del sol las doradas trenças..."

Alarcón, como se ve, ha dado aquí a "Thetis" los atributos de "Tethys". Esto, como advierte el profesor Reed, acontece desde la edad de plata de las letras latinas, y así también en Camoens, *Lusiadas*, III, 115:

> "Ja se hia o sol ardente recolhendo
> para a casa de *Thetis*."

El comentarista Faria y Sousa (Madrid, 1639, 169) ha pasado por este verso sin hacer el menor reparo. Y Rojas, en la "Exposición de nombres" que pone al fin de su *Viaje entretenido* (1604), dice: "*Tetis*, hija de Celo y Besta, *muger de Pelo*, madre de Aquiles *y muger de Neptuno*."

[ESCENA II]

[Don Juan y Beltrán.]

BELTRÁN.   ¿Por qué, señor, no has pintado   1180
            cavallos, toros y suertes?
                Que con esso, y con tratar
            mal a los calbos, hizieras
            comedias, con que pudieras
            tu pobreza remediar.   1185
                A que te cuenten me obligo,
            seiscientos por cada una.
JUAN.   Pues supongamos que en una
            esso que me adviertes digo:
                en otra, ¿qué he de dezir?   1190
            Que a un poeta le está mal
            no variar; que el caudal
            se muestra en no repetir.
BELTRÁN.   Para dar desconocidos
            estos platos duplicados,   1195
            dar aquí calbos assados,
            y acullá, calbos cozidos.
                Pero, señor, a las veras
            buelva la conversación.
            ¿No me dirás la intención   1200
            que llevan estas quimeras?
                ¿Para qué se han prevenido
            los dos capotes grosseros?

1187 C. B. Bourland recuerda que, en 1601, *La hermosa
Alfreda* produjo a Lope 500 reales, que podemos considerar
como un máximo. El precio es notablemente superior ya a mediados del siglo XVII. A. H. Rennert, *The Spanish Stage*,
New York, 1909, pág. 177.

¿Qué es esto de los cocheros?

JUAN.   Escucha: irás advertido.   1205
             Desde aquella alegre noche
             que al gran Precursor el suelo
             celebra por alva hermosa
             del Sol de Justicia eterno,
             de la encontrada porfía   1210
             en que me opuso don Mendo,
             a mil gracias que conté
             de doña Ana, mil defetos,
             en el coraçón del Duque
             nació un curioso deseo   1215
             de cometer a sus ojos
             la difinición del pleito.
             A don Mendo le explicó
             el Duque este pensamiento,
             y para ver a doña Ana,   1220
             quiso que él fuesse el tercero.
             El se escusó, procurando
             divertirlo deste intento,
             o temiendo mi vitoria,
             o anticipando sus zelos.   1225
             Creció en el mancebo Duque
             el apetito con esto;
             que, sospechando su amor,
             hizo tema del deseo.
             Declaróme su intención,   1230
             y yo en su ayuda me ofrezco,
             dándome esperança a mí
             lo que temor a Don Mendo.
             Y como doña Ana estava
             aquí, velando a San Diego,   1235

1206 La de San Juan.

venimos oy a los toros
más por verla que por verlos.
Y sabiendo que esta noche
se parte mi dulce sueño,
por quien ya comiença Enares   1240
el lloroso sentimiento;
por poder gozar mejor
de su cara y de su ingenio,
porque las gracias del alma
son alma de las del cuerpo,   1245
traçamos acompañarla,
sirviéndole de cocheros,
nuevos faetones del Sol,
si atrevidos, no sobervios.
Con los cocheros ha sido   1250
para este fin el concierto,
para esto la prevención
de los capotes grosseros;
que a tales traças obliga
en ella el recado honesto,   1255
en el Duque sus antojos
y en mí, Beltrán, mis deseos.

BELTRÁN. Todo lo demás alcanço,
y esso postrero no entiendo.
¿Cómo en el amor del Duque   1260
funda el tuyo su remedio?

JUAN. Mientras sin contrario fuerte
ame a doña Ana don Mendo,
ella está en su amor muy firme:
a mudalla no me atrevo;   1265
y como el Duque es persona
a cuyas fuerças y ruegos
puede mudarse doña Ana,
que la conquiste pretendo,
para que, andando mudable,   1270

entre los fuertes opuestos,
no estando firme en su amor,
esté flaca a mi deseo.

BELTRÁN. Essa es cautela que enseña
el diestro don Luis Pacheco,   1275
que dize que está la espada
más flaca en el movimiento.

JUAN. Mejor se sugeta entonces:
de essa lición me aprovecho.

BELTRÁN. Y dime, por vida tuya,   1280
¿agora sales con esto?
¿No eres tú quien me dixiste:
"Si desta vez no la muevo,
morirá mi pretensión,
aunque vivan mis deseos?"   1285

JUAN. Imita mi amor al hijo
de la tierra: aquel Anteo,
que, derribado, cobrava
nueva fuerça y valor nuevo.

BELTRÁN. Pensé que, desesperado,   1290
lo curavas como a muerto;
que aunque la traça es aguda,
pongo gran duda en su efeto;
que el Duque es muy poderoso:
llevarála.

JUAN.   Por lo menos,   1295
si vence, alivio será

1275 Don Luis Pacheco de Narváez, famoso maestro de
armas del rey Felipe IV, rival de Quevedo, autor de libros
de esgrima tan ambiciosos y pedantes como todos los que se
dedicaban en su tiempo a esa materia. Véase *La verdad sospechosa*, notas a los versos n. 2734 y sigts.

1285 Véase v. n. 113-116.

1287 Gigante, hijo de Poseidón y Gea, la tierra. Hércules,
que lo veía alzarse del suelo cada vez más fuerte, lo dominó
levantándolo en vilo y estrangulándolo.

	que por un Duque la pierdo;	
	y si no, consolaráme	
	ver que lo que yo no puedo,	
	tampoco ha podido un Duque.	1300
BELTRÁN.	En fe de aquessos consuelos,	
	has cortado la cabeça	
	totalmente a tus intentos,	
	y estando tu mal dudoso,	
	has querido hazerlo cierto.	1305
	Quieres que el Duque la lleve	
	por quitársela a don Mendo,	
	y, del daño, el daño mismo	
	has tomado por remedio.	
	El epigrama que a Fanio	1310
	hizo Marcial, viene a pelo.	
JUAN.	¿Cómo dize?	
BELTRÁN.	Traduzido,	
	dize assí, en lenguage nuestro:	
	"Queriendo Fano huír	
	sus contrarios, se mató."	1315
	¿No es furor, pregunto yo,	
	para no morir, morir?	
JUAN.	El epigrama es agudo;	
	mas la aplicación te niego;	
	que no es, como tú imaginas,	1320
	que vença el Duque, tan cierto;	
	que si él es grande de España,	
	es el querido don Mendo,	
	y esto es ser grande también	
	en la presencia de Venus.	1325

1311 *Epigr.*, II, 80. Alarcón gusta de citar a Marcial. El epigr. II, 9, en *La verdad sospechosa*, v. n. 2296, y en *No hay mal que por bien no venga*, II, 9.

1325 Nótese el empleo de *Venus* como asonante de *Mendo y pequeño*. "En la sílaba final grave, la *i*, si está sola, se

BELTRÁN.	Grandes son los dos contrarios,
	y tú, señor, muy pequeño;
	mas, si Fortuna te ayuda,
	juzgo possible tu intento.
	Dos valientes salteadores, 1380
	por un hurto que avían hecho
	riñeron; que cada qual
	lo quiso llevar entero:
	y, mientras ellos reñían,
	un ladronzillo ratero 1385
	cogió la presa.
JUAN.	Dios quiera
	que me suceda lo mesmo. *(Vanse.)*

[*Sala en la casa donde se hospeda* DOÑA ANA
en Alcalá.]

[ESCENA III]

(Salen DOÑA ANA y LUCRECIA, *de camino.)*

ANA.	¿Cómo en los toros te ha ido?
LUCRECIA.	Jamás hizieron provecho
	en las dolencias del pecho 1340
	los remedios del sentido;
	que en un rabioso cuidado,
	tanto con el alma assisto,

reputa por *e* a causa de la semejanza de estas vocales inacentuadas, y la *u*, en iguales circunstancias y por la misma razón, se reputa por *o*", dice Bello en su *Arte Métrica* (*Obras: Opúsculos gramaticales*, I, Madrid, 1890, pág. 343) tratando de la asonancia. Y a continuación da el ejemplo: "*Pólux—lloro.*"

Lucrecia: de ti a doña Ana
ventaja ay más conocida
que de la muerte a la vida,   1410
de la noche a la mañana.
¿Quién a la hermosa Dïana
trocará por una estrella?
Dexa la injusta querella,
desengaña tus enojos,   1415
que tengo un alma y dos ojos
para escoger la más bella."

LUCRECIA.   ¿Qué dizes de esse papel?
ANA.   Si estás viendo, prima, aquí
lo que él ha dicho de mí,   1420
¿qué quieres que diga dél?
Pierde el cuidado crüel
que te obliga a rezelar,
quando assí me ves tratar,
si es cosa cierta el nacer   1425
la injuria de aborrecer
y la alabança de amar.
    Mas, cansada te imagino;
entra a reposar un rato,
que, para hablar de tu ingrato,   1430
será tercero el camino.

LUCRECIA.   Mi zeloso desatino
el sueño me ha de impedir.

ANA.   A las doze es el partir
forçoso.

LUCRECIA.   Y tú ¿no reposas?   1435

ANA.   No, Lucrecia; que mil cosas
me faltan por prevenir.

LUCRECIA.   ¿Puedo ayudarte?

1416-1417 Véase v. n. 1651-2.
1431 Tercero, v. n. 868.

ANA.	Ayudarme
	dexarme sola será.
LUCRECIA.	El obedecerte es ya 1440
	forçoso. *(Vase.)*

[ESCENA IV]

[DOÑA ANA.]

ANA.   Como el matarme.—
Celia, ven, ven a ayudarme
a lamentar mi tormento;
presta tu voz a mi aliento,
que en desventura tan grave   1445
por una boca no cabe
a salir el sentimiento.

[ESCENA V]

[DOÑA ANA y CELIA.]

(Sale CELIA.)

CELIA.   ¿Qué ha sido?
ANA.   Nuevos agravios
del vil don Mendo; que, en suma,
firma también con la pluma   1450
lo que afirmó con los labios.

1438-1442 *Ayudarme*, rima repetida, como *corazón*, en
v. n. 1472. También *El semejante a sí mismo*, III, 6:

> "Porque el poeta no en balde
> haber dicho considero:
> "A los moros por dinero,
> y a los cristianos de balde."

ANA.   Que eran botes mi Jordán
                dixo de mí; ¿qué te altera   1505
                que a tus años se atreviera?
CELIA.   ¡Quán diferente es don Juan!
                    Ofendido y despreciado
                es honrar su condición,
                quanto el lengua de escorpión   1510
                ofende, siendo estimado.
                Una vez, desesperado,
                don Juan se quexava assí:
                "¿Qué delito cometí
                en quererte, ingrata fiera?   1515
                ¡Quiera Dios!... Pero no quiera;
                que te quiero más que a mí."
                    ¡Si vieras la cortesía
                y humildad con que me habló
                quando licencia pidió   1520
                para verte el otro día!
                ¡Si vieras lo que dezía
                en mi defensa [a] un criado,
                que porfiava arrojado
                que, si yo dificultava   1525
                la visita, lo causava
                ser él pobre y desdichado!

---

hombres. En *El desdichado en fingir*, I, 13, hay otro equívoco:

> "Y el que a todos honras dió,
> que fué Adán, ¿no fué criado?"

Creado y sirviente.

1504   Véase v. n. 998.

1514   Véase v. n. 309.—Y la nota al 1521.

1521 y sigts. Véase v. n. 150-180.—Adviértase que todo lo
dicho por don Juan en defensa de Celia es en ausencia de
ésta, puesto que ella sale de escena después del v. n. 168.
Habrá que suponer que permanece a la escucha, como lo hizo
con don Mendo en los v. n. 1500-1501. Asimismo parece haber
oído lo que don Juan habló a solas. Véase v. n. 309 y 1514.

¡Si vieras!... Pero ¿qué vieras
que igualasse a lo que viste,
quando del traidor le oíste   1530
defenderte tan de veras?
Ya te (h)ablandaras si fueras
formada de pedernal.

ANA.   ¿Qué te obliga a que tan mal
te parezca mi desdén?   1535

CELIA.   Tener a quien habla bien
inclinación natural
y sin ella, me obligara
la razón a que lo hiziera.

ANA.   Celia, ¡si don Juan tuviera   1540
mejor talle y mejor cara!...

CELIA.   Pues ¡cómo! ¿en esso repara
una tan cuerda muger?
En el hombre no has de ver
la hermosura o gentileza: 1545
su hermosura es la nobleza;
su gentileza, el saber.
Lo visible es el tessoro
de moças faltas de seso,

1547   Véase *Comedia Tibalda*, de Perálvarez de Ayllón y
Luis Hurtado de Mendoza (edic. A. Bonilla, 1903), pág. 66:

"Myra, Tibaldo: la disposición,
piernas, ni gesto, ni ser muy derecho,
entre discretos poco haze al hecho,
pues solas las obras nos dan perfiçión."

Dice esto Griseño, que es deforme. Más adelante dice Tibaldo, arrepentido (v. n. 1463):

"Que tus defetos yo no publicava,
pues los naturales no dan desonor."

Y en el v. n. 1567:

"Ya yo conozco ser alto secreto
que quiso esconder en chico sugeto
gracias divinas y tal razonar."

y, las más vezes, por esso 1550
topan con un asno de oro.
Por esto no tiene el moro
ventanas; y es cosa clara
que, aunque al principio repara
la vista, con la costumbre 1555
pierde el gusto o pesadumbre
de la buena o mala cara.

ANA.   No niego que, desde el día
que defenderme le oí,
tiene ya don Juan en mí 1560
mejor lugar que solía;
porque el beneficio cría
obligación natural:
y pues el rigor mortal
aplacó ya mi desdén, 1565
principio es de querer bien
el dexar de querer mal.

    Pero no fácil se olvida
amor que costumbre ha hecho,
por más que se valga el pecho 1570
de la ofensa recebida,
y una forma corrompida
a otra forma haze lugar.
Mas bien puedes confiar
que el tiempo irá introduziendo 1575
a don Juan, pues a don Mendo
he começado a olvidar.

CELIA.   ¿Podré yo ver el papel?
ANA. Pide luzes, que la oscura
noche impedirte procura 1580
ver mis agravios en él.
CELIA.   Ya están las luzes aquí.
ANA. Ten el papel.

                    (Dale el papel a CELIA.)

[ESCENA VI]

(Sale el ESCUDERO.—[DICHAS].*)*

ESCUDERO.   Dos cocheros
piden licencia de veros.
ANA.   Entren.
ESCUDERO.   Entrad.   [*Vase.*]

[ESCENA VII]

(Salen el DUQUE *y* DON JUAN *de cocheros.*—[DICHAS].*)*

JUAN.   [*Ap. al* DUQUE.] Pues a ti   1585
nunca te ha visto, seguro
habla de ser conocido,
mientras yo callo, escondido
en manto de sombra obscuro.
DUQUE.   El cielo os guarde, señora.   1590
ANA.   Bien venido.
DUQUE.   Acá me embía
el cochero que os servía,
y no puede hazerlo agora,
rendido a un dolor crüel.
¿A qué hora avéis de partir?   1595
Que os tengo yo de servir
esta jornada por él.
ANA.   ¿Tanto es su mal?
JUAN.   Por lo menos,
no podrá serviros oy.
ANA.   Pésame.
DUQUE.   Persona soy   1600
con quien no lo echaréis menos.

ANA.   A media noche esté el coche
               prevenido a la carrera.
DUQUE.   Y será la vez primera
               que el sol sale a media noche.   1605
ANA.   ¿Cómo es esso?
DUQUE.   ¿Cómo es esso?
ANA.   ¿Tierno sois?
DUQUE.   ¿Es contra ley?
               Alma tengo como el rey:
               aunque este oficio professo,
                  no huyo de amor los males,   1610
               que, si por ellos no fuera,
               yo os juro que no estuviera
               cubierto destos sayales.
ANA.   Pues qué ¿son disfraz de amor
               por infanta pretendida?   1615
DUQUE.   Puede ser.
ANA.   ¡Bien, por mi vida!
               El cochero tiene humor.
CELIA.   Don Mendo viene.
ANA.   Id con Dios,
               y a media noche os espero.
DUQUE.   Tengo, por mi compañero,   1620
               también que tratar con vos;
                  que es suyo el coche en que va
               vuestra gente; y esta noche
               ya veis quánto vale un coche,
               y concertado no está.   162?
                  La visita recebid,
               que los dos esperaremos.

1607   Véase *La verdad sospechosa*, v. n. 290.
1617   *Humor*, véase *La verdad sospechosa*, v. n. 171.

ANA.   Por esso no reñiremos
            si con bien llego a Madrid.
DUQUE.   Señora, entre padres y hijos   1630
            parece bien el concierto.
                    (*Apártase el* DUQUE [*con* DON JUAN].)

[ESCENA VIII]

(*Salen* DON MENDO *y* LEONARDO.—[DICHOS].)

MENDO.   ¡Gloria a Dios, que llego al puerto
            de combates tan prolixos!
DUQUE.   [*Ap. a* DON JUAN.]
                Escuchar pretendo assí
            si a don Mendo favorece   1635
            doña Ana.
JUAN.   Pues ¿qué os parece?
DUQUE.   Que por mi daño la vi.—

[ESCENA IX]

(*Salen* LUCRECIA *y* ORTIZ.—[DICHOS].)

LUCRECIA.   ¡Don Mendo con ella, Cielos!
ORTIZ.   [*Ap. a su ama.*]
            ¿Si sabe que estás acá?
                    (*Pónese* LUCRECIA *a escuchar.*)
LUCRECIA.   Cerca el desengaño está.   1640
ORTIZ.   Oy averiguas tus zelos.—
MENDO.   ¿Qué es esto, doña Ana hermosa?
            ¿No me respondes? ¿Qué es esto?

1630 Frase hecha. Véase el *Vocabulario* de Correas, página 127 *v*: "Entre padres y hijos es buena la cuenta."

¿Quién ha mudado tan presto
mi fortuna venturosa?   1645
   ¿Tú, señora, estás assí
grave y callada conmigo?
¿Quién me ha puesto mal contigo?
¿Quién te ha dicho mal de mí?
Habla: dime tu querella.   1650

ANA.   ¿Tú puedes causarme enojos
teniendo "un alma y dos ojos
para escoger la más bella?"

MENDO.   [*Ap.*] Palabras son que escriví
a la engañada Lucrecia.—   1655
Esperado avrá la necia
Lucrecia tener de mí
   favor con hazerme daño;
mas no pienso que le importe.
Vamos, señora, a la corte,   1660
verás si la desengaño...

LUCRECIA. *(Ap.)* ¡Ha, falso!—

MENDO.   Que su favor
no estimo, por que concluya,
lo que una palabra tuya,
aunque la engendre el rigor.   1665

ANA.   ¿Cómo, pues, "si el labio mueve
mi mediano entendimiento,
elado queda mi aliento
entre palabras de nieve?"

MENDO.   *(Ap.)* Don Juan le devió de dar   1670
cuenta de nuestra porfía;
mas aquí la industria mía
las suertes ha de trocar;
   que si la verdad confiesso,

1651-2 Véase v. n. **1416-1417.**
1666   V. n. **986-989.**

y que el amor y el poder   1675
temí del Duque, es muger,
y despertará con esso.—
   Buelve esse rostro, en que veo
cifrado el cielo de amor.

ANA.   Don Mendo, assí está mejor   1680
quien tiene "el cerca tan feo".

MENDO.   Yo colijo que don Juan
de Mendoça, mal mirado,
la contienda te ha contado
de la noche de San Juan;   1685
   que conozco essas razones
que el necio dixo de ti,
porque yo le defendí
tus divinas perfecciones.

JUAN.   [*Ap.*] ¡Ha, traidor!—

DUQUE.   [*Ap. a* DON JUAN.] Dissimulad.—   1690

MENDO.   Pero don Juan bien podía
callar, pues que yo quería
perdonar su necedad.
   Mas ya que estás dessa suerte
de mí, señora, ofendida,   1695
porque le dexé la vida
a quien se atrevió a ofenderte,
   no me culpes; que el estar
el duque Urbino presente
pudo de mi furia ardiente   1700
el ímpetu refrenar.

CELIA.   [*Ap. a su ama.*]
   ¡Qué embustero!

ANA.   [*Ap.*]   ¡Qué engañoso!

CELIA.   [*Ap. a su ama.*]
   ¡Mira con quién te casavas!—

1681   Véase v. n. 978.

MENDO.   Si por esso me privavas
de ver esse cielo hermoso,   170
    buelve; que presto por mí
cortada verás la lengua
que en tus gracias puso mengua.

ANA.   Pues guárdate tú de ti.

MENDO.   ¿Yo de mí? ¿Luego yo he sido   171
quien te ofendió?

ANA.   Claro está.
¿Quién si no tú?

MENDO.   ¿Quánto va
que esse falso fementido,
    lisongero universal
con capa de bien hablado,   171
por adularte ha contado
que él dixo bien y yo mal?
    Mas brevemente verán
estos ojos, dueño hermoso,
castigado al malicioso.   172

ANA.   "Para entre los dos, don Juan
    es un buen hombre; y si digo
que tiene poco de sabio,
puedo, sin hazerle agravio:
vuestro deudo es y mi amigo;   17
    mas esto no es murmurar."

MENDO.   Esso dixe a solas yo
al Duque, que se admiró
de verle vituperar
lo que yo tanto alabé.   17

ANA.   Dilo al revés.

MENDO.   Según esto,

1712 Véase v. n. **177.**
1714 *Lisongero universal,* compárese con *Los pechos privilegiados,* III, 3 (Rivad., XX, 427 *c*): *envidioso universal.*
1721 Véase v. n. 1001.

quien contigo mal me ha puesto
el Duque sin duda fué.

   ¡Aun no ha llegado a la corte
y ya en enredos se emplea!   1735
¿O piensa que está en su aldea,
para que nada le importe
   su grandeza o calidad
al necio rapaz conmigo,
para no darle el castigo?   1740

DUQUE.   [*Ap.*] ¡Ha, traidor!
JUAN.   [*Ap. al* DUQUE.]   Dissimulad.—
ANA.   ¿Qué sirven falsas escusas,
qué quimeras, qué invenciones,
donde la misma verdad
acusa tu lengua torpe?   1745
Hablas tú tan mal de mí
sin que contigo te enojes,
¿y enójaste con quien pudo
contarme tus sinrazones?
Quien te daña es la verdad   1750
de las culpas que te ponen.
Si pecaste y yo lo supe,
¿qué importa saber de dónde?
Pues nadie me ha referido
lo que hablaste aquella noche: 1755
verdad te digo, o la muerte
en agraz mis años corte.
Y siendo assí, sabes tú
que son las mismas razones
las que aquí me has escuchado   1760
que las que dixiste entonces.
Y pues las sé, bien te puedes
despedir de mis favores,
y, a toda ley, hablar bien,
porque *las paredes oyen.*   (*Vase.*) 1765

[ESCENA X]

[DON MENDO, CELIA y LEONARDO; el DUQUE y DON JUAN, acechando aparte; DOÑA LUCRECIA y ORTIZ, acechando a otra parte.]

MENDO.   Buelve, escucha, dueño hermoso,
           lo que mi fe te responde;
           y pues oyen las paredes,
           oye tú mis tristes voces.

LUCRECIA. [*Ap.*] Masque de tristeza mueras.—   1770

                     (*Vase* [*con* ORTIZ].)

CELIA.   [*Ap.*] Masque eternamente llores.—
DUQUE.   [*Ap. a* DON JUAN.]
           ¿De dónde pudo doña Ana
           saber lo que aquella noche
           hablamos?
JUAN.   Yo no lo he dicho.
DUQUE.   Ni yo.   (*Vase.*)

1770-1 *Masque* = aunque: locución familiar no bien interpretada por los eruditos extranjeros. Algún pasaje de Bretón de los Herreros dice:

> "Y *aunque* sirva de sarao
> la cocina de un mesón,
> y *masque* cuelguen candiles
> y el espejo sea un perol
> ....
> y haga Juana una cabriola,
> y *masque* sea una coz..."

En México, donde está muy extendido el uso de esta locución, hay una copla popular que dice:

> "Masque me revuelque un toro,
> masque me caiga y me raspe,
> masque me suceda todo:
> siendo por mi gusto, masque."

JUAN.	*Las paredes oyen.—*	*(Vase.)* 1775
MENDO.	Oyeme tú, Celia: assí	
	tus floridos años logres.	
CELIA.	Las que ya llamaste canas,	
	¿cómo agora llamas flores?	
MENDO.	¿Quién te ha dicho tál de mí,	1780
	Celia?	
CELIA.	*Las paredes oyen.*	*(Vase.)*

[ESCENA XI]

[DON MENDO y LEONARDO.]

MENDO.

¿Qué es esto, suerte enemiga?
¿Por tan falsas ocasiones,
tan verdadera mudança
en voluntad tan conforme?   1785
¡Que pueda ser, quien me ha dado
los más estrechos favores
a mi acusación, de cera,
y a mi descargo, de bronze!
¿A mis contrarios escuchas?   1790
¿a malos terceros oyes?
¿a mí el oído me niegas?
¿a mí la cara me escondes?

LEONARDO.

Con la pasión no discurres.
¿Posible es que no conoces   1795
que tan estraños efetos
a mayor causa responden?

1779 Véase v. n. 1500.

ESCENA XI: Tiene que suceder en la calle. V. n. 1839:

"De *allá* han salido dos hombres."

"Allá" es la puerta de doña Ana. V. n. 1854.

No por las culpas que dize
ay mudança en sus amores,
antes por aver mudança   1800
aquestas culpas te pone.
Que si el enojo que ves
causaran tus sinrazones,
no tan resuelta negara
los oídos a tus vozes;   1805
que, a quien obligan ofensas
de quien ama a que se enoje,
la satisfación desea
quando la culpa propone.
Doña Ana no quiso oírte,   1810
y, assí, me espanta que ignores
que culpas ha menester,
pues huye satisfaciones;
y el que anda a caça de culpas,
intención resuelta esconde,   1815
y pretende dar color
de castigo a sus errores.

MENDO.   Bien imaginas.

LEONARDO.   Señor,
ciego estás, pues no conoces
su desamor en su ausencia,   1820
su engaño en sus dilaciones.
Dilató por las novenas
el matrimonio: engañóte;
que no ay muger que al amor
prefiera las devociones.   1825
Con secreto caminava
a otro fin su trato doble;
y, por si no lo alcançasse,
entretuvo sus amores.
Ya lo alcançó, y te despide   18

	sin que en descargo le informes;
	que ha menester que tus culpas
	su injusta mudança abonen.
MENDO.	Agudamente discurres;
	mas por los celestes orbes 1835
	juro que me he de vengar
	de su rigor esta noche.
LEONARDO.	Poderoso eres, señor.
MENDO.	De allá han salido dos hombres.
LEONARDO.	Cocheros son de doña Ana. 1840
MENDO.	La fortuna me socorre.

[ESCENA XII]

(*Salen el* DUQUE *y* DON JUAN [*de cocheros.*—DON MENDO
y LEONARDO].)

DUQUE.	[*Ap. con* DON JUAN.]
	Ni vi hermosura mayor,
	ni igual discreción oí.
JUAN.	¿Luego a don Mendo vencí?
DUQUE.	Preguntádselo a mi amor, 1845
	¡Vive el cielo, que estoy loco!
JUAN.	*(Ap.)* Mi invención es ya dichosa.—
DUQUE.	Será mi esposa.
JUAN.	¿Tu esposa?
DUQUE.	Sí.
JUAN.	*(Ap.)* Ni tanto ni tan poco.—
MENDO.	Dios os guarde, buena gente. 1850
DUQUE.	¿Quién va allá?

1831 *Informar en descargo* es frase judicial: declarar en
abono de un culpado.

1835 Sobre las esferas u orbes celestes, véase v. n. 470.

1849 La princeps, *tampoco*.

MENDO.   Don Mendo soy
de Guzmán.

DUQUE.   *(Ap.)*   Por darle estoy
el castigo aquí.

JUAN.   Detente;
que es de doña Ana esta puerta.—

DUQUE.   ¿Qué mandáis?

MENDO.   Que me digáis,   1855
pues a doña Ana lleváis,
¿a qué hora se concierta
la partida?

DUQUE.   A media noche.

MENDO.   Una cosa avéis de hazer,
que me obligo a agradecer.   1860

DUQUE.   Dezilda.

MENDO.   Apartar el coche
en que fuere vuestro dueño
del camino un trecho largo,
haziendo del yerro cargo
a la obscuridad o al sueño.   1865

DUQUE.   ¿Para qué fin?

MENDO.   Solamente
hablarle pretendo, amigos,
con espacio y sin testigos.

DUQUE.   ¿Cosa que algún hecho intente

DUQUE.   que nos cueste?...

1869   Véase *La verdad sospechosa*, v. n. 153:
           "¿*Cosa* que a su calidad
           será dañosa en Madrid?"

Véase también Lope, *La niña de plata*, III, XIII:
           "—¿A qué vienes?
                          —A casarme.
           —¿A casarte?
                          —Señor, sí.
           —¿*Cosa* que fuese con él?"

MENDO.   No os dé pena,   1870
quando yo os amparo, el miedo.
La obligación en que os quedo
publique aquesta cadena
        (*Dale una cadena, y tómala el* DUQUE.)
que podéis los dos partir.

DUQUE.   No, señor.

MENDO.   Esto ha de ser.   1875

DUQUE.   Una cosa avéis de hazer
si os avemos de servir.

MENDO.   ¡Hablad, pues.

DUQUE.   Que a la ocasión
no vais más de dos amigos;
porque quantos son testigos,   1880
tantos enemigos son.

MENDO.   Solos iremos los dos:
desto la palabra os doy.

DUQUE.   Con esso, a serviros voy.

MENDO.   Y yo a seguiros.

DUQUE.   Adiós;   1885
que es hora ya de partir.

JUAN.   [*Ap. al* DUQUE.]
¿Dónde con tu intento vas?

DUQUE.   Presto, don Juan, lo verás.

                                (*Vanse los dos.*)

[ESCENA XIII]

[DON MENDO *y* LEONARDO.]

MENDO.   Manda luego apercebir,
    Leonardo, los dos rozines   1890
de campo, para alcançar
esta fiera. Oy he de dar
a esta caça dulces fines.

LEONARDO.	No lo dudes, pues está	
	tan de tu parte el cochero.	1895
MENDO.	Como esso puede el dinero.	
LEONARDO.	Contra su dueño será,	
	si de su favor te ayudas.	
MENDO.	El primer cochero agora	
	no será que a su señora	1900
	aya servido de Judas. *(Vanse.)*	

[*Campo inmediato al camino real de Alcalá a Madrid.*]

[ESCENA XIV] *

[ARRIEROS *y* UNA MUJER; *después* DON MENDO *y* DOÑA ANA,
todos dentro.]

(Cantan dentro.)

1.   *Venta de Viveros,*
        ¡*dichoso sitio,*
    si el ventero es cristiano,
     y es moro el vino!   1905

1896   Frase hecha. Véase Lope, *Las flores de don Juan*, I, 8:
        "Como eso puede el dinero."

Id., *El bobo del colegio*, I, 3:
        "Como eso puede el dinero."

En *La Dorotea*, de Lope:
           "Como esas cosas andan impresas."
           "Como eso dirá Plinio."

Y en el *Quijote*, I, XVIII (Ed. Rodríguez Marín en "La Lectura"), pág. 91, t. y n.: "Como eso puede desaparecer y contrahacer aquel ladrón del sabio mi enemigo."
Como eso vale: "tanto así".

1899   Véase *La verdad sospechosa*, v. n. 436.
 *   Toda la escena sucede fuera del proscenio.

1902   Véase v. n. 401.—La venta de Viveros, entre Madrid y Alcalá, es célebre en la literatura. *Por el sotano y el*

¡Sitio dichoso,
si el ventero es cristiano,
y el vino es moro!

2.   Con mi albarda y mi burro   1910
no embidio nada;
que son coches de pobres
burros y albardas.

(Una muger.)

MUGER.   Tan gustosa vengo
de ver los toros,
que nunca se me quitan   1915
dentre los ojos.

3.   Unos ojos que adoro
llevo a las ancas:
¿quién ha visto los ojos
a las espaldas?   1920

(Dentro, un arriero.)

ARRIERO.   ¿Gruñes, o gritas, o cantas?
[OTRO.] *   Mis males espanto assí
ARRIERO.   ¿Somos tus males aquí?
Porque también nos espantas.
[OTRO.] *   Calla, y toma mi consejo: 1925
que no es la miel para ti.
ARRIERO.   ¿Fuiste a ver los toros?
[OTRO.] *   Sí.
ARRIERO.   ¿Pues no ay en tu casa espejo?

---

torno, de Tirso, comienza con el vuelco de un coche cerca
de esta venta. Se la alude en Lope, Al pasar del arroyo, I, 5;
y en ella acontecen los sucesos del capítulo IV del Buscón.
Véase también Guzmán de Alfarache, segunda parte, libro II,
capítulo VII.

* La princeps acota 4 en todos estos lugares.

1922   Quien canta, sus males espanta.

1926   No es la miel para la boca del asno, Quijote, I, 52.

ARR. 2.º   ¡Ha del coche! ¿Dónde bueno?
                  Del camino se han salido.   1930
ARR. 1.º   O el cochero se ha dormido,
                  o han de hazer noche al sereno.
ARR. 2.º   ¡Ha, Faetón de los cocheros,
                  que te pierdes! Por acá.
ARR. 1.º   Por essos trigos se va.   1935
ARR. 2.º   Y tras él dos cavalleros.
ARR. 1.º   De malas lenguas se quita
                  quien va al desierto a morar.
ARR. 2.º   No van ellos a rezar;
                  que por allí no ay ermita.   1940
ARR. 1.º   Arre, mula de Mahoma;
                  ella haze burla de mí.
                  Dale, Francisco.
ARR. 2.º   Echa aquí.
ARR. 1.º   Arre: ¿qué diablo te toma? (Vanse.)
MENDO.   Pára, cochero   (Dentro.)
ANA.   ¿Quién es?   1945
MENDO.   Don Mendo soy.
ANA.   ¡Anda!
MENDO.   ¡Pára!

[ESCENA XV]

(Salen DON MENDO y DOÑA ANA, LUCRECIA y LEONARDO.)

ANA.   ¿Quién sino tú se mostrara
                  conmigo tan descortés?
MENDO.   Mi excesso y atrevimiento
                  disculpo con tu mudança.   1950
ANA.   Llámala justa vengança
                  y cuerdo arrepentimiento.
MENDO.   ¿Quién lo causó?
ANA.   Tus traiciones.

MENDO. ¡Ha falsa! ¿Engañarme piensas
¿Acreditas mis ofensás 1955
por abonar tus acciones?
Pues no lograrás tu intento.

(Llega a pelear DON MENDO *con* DOÑA ANA, LUCRECIA *a ayu-
darla, y* LEONARDO *a tener a* LUCRECIA.)

ANA. ¿Qué es esto?
MENDO. Justo castigo
de tu mudança.
ANA. ¿Conmigo
tan grosero atrevimiento? 1960
LUCRECIA. ¡Justicia de Dios!
LEONARDO. Tenéos.
ANA. ¿Ay excessos más estraños?
MENDO. A pesar de tus engaños
he de lograr mis deseos.

[ESCENA XVI]

(Salen el DUQUE *y* DON JUAN, *de cocheros; sacan las espadas
y dan sobre ellos.—*[DICHOS].)

DUQUE. [*A* DON JUAN.]
La vengança nos combida.— 1965
ANA. ¿Dónde están mis escuderos?
Vendido me han los cocheros.
DUQUE. Por vos, señora, la vida
vuestros cocheros darán.
MENDO. ¿A don Mendo os atrevéis, 1970
viles?
LEONARDO. Cocheros, ¿qué hazéis?
¡Que es don Mendo de Guzmán!
A vuestro coche os bolved.

MENDO.	Furias del infierno son.
LUCRECIA.	¡Qué pena!
ANA.	¡Qué confusión! 1975

(Retíranse DON MENDO [*y* LEONARDO], *y el* DUQUE *y* DON
JUAN *van tras ellos.)*

¡Cocheros, tened, tened!   *(Vase.)*

ACTO TERCERO

[*Sala en casa de* DOÑA ANA, *en Madrid.*]

[ESCENA I]

(Salen DOÑA ANA *y* CELIA; *el* DUQUE *y* DON JUAN; *todos
como acabaron la segunda* [*jornada*].)

ANA.	¿No advertís lo que avéis hecho?
	¿Cómo tan despacio estáis?
DUQUE.	Por nosotros no temáis:
	quietad el hermoso pecho; 1980
	pues, con probar la violencia
	que intentó aquel cavallero,
	en nuestro favor espero
	que tendremos la sentencia.
	Y por su reputación 1985
	le estará más bien callar:
	no penséis que ha de tratar
	de tomar satisfación
	por justicia un cavallero.
	¿No veis lo mal que sonara 1990
	que herido se confessara
	del braço vil de un cochero
	un tan ilustre señor,
	dueño de tantos vassallos?

	Destos casos el callallos	1995
	es el remedio mejor.	
ANA.	Siéntome tan obligada	
	de vuestro valor estraño,	
	que el temor de vuestro daño	
	toda me tiene turbada.	2000
DUQUE.	No temáis.	
ANA.	El pecho fiel	
	el daño está previniendo.	
DUQUE.	Quien pudo herir a don Mendo	
	podrá defenderse dél.	
CELIA.	*(A DOÑA ANA al oído.)*	
	En hablar tan cortesanos,	2005
	tan valientes en obrar,	
	mucho dan que sospechar	
	estos cocheros.	
ANA.	*(A CELIA al oído.)*	
	Las manos	
	les mira, que la verdad	
	nos dirán.	
CELIA.	Es gran razón	2010
	pagalles la obligación	
	que tienes a su lealtad,	

(Toma las manos al DUQUE, y buélvese a hablar aparte a DOÑA ANA.)

	pues por estas manos queda	
	tu honestidad defendida.—	
	(Aparte las dos.)	
	¡Ay, señora de mi vida!	2015
	Blandas son como una seda	
	y, en llegando cerca, son	
	sus olores soberanos.	
ANA.	[*Ap. a CELIA.*]	
	¿Buen olor y buenas manos?	

Clara está la información.   2020
Dissimula.

(DON JUAN *se está escondiendo detrás del* DUQUE.)

CELIA.   [*Ap.*]   El otro está
                siempre cubierto y callado.

(*Va* CELIA *por detrás de todos a coger de cara a* DON JUAN.)

Cogérelo descuidado,
pues la aurora alumbra ya
lo que basta a conocello.   2025

ANA.   Amigos, puesto que assí
                os arresgastes por mí
                sin obligación de hazello,
                    desta casa y de mi hazienda
                os valed.

DUQUE.   Los pies [os] beso,   2030
                mas yo no passo por esso;
                que no es razón que se entienda
                    que fué sin obligación
                el serviros; pues de un modo
                se la pone al mundo todo   2035
                vuestra rara perfección.
                    Porque a quien os llega a ver,
                dais gloria tan sin medida,
                que aunque os pague con la vida,
                os queda mucho a dever.   2040

(*Sale* DON JUAN [*de detrás del* DUQUE.]*)*

CELIA.   [*A* DON JUAN.]
                    Y vos, ¿sois mudo, cochero?
                ¿De qué estáis triste? Bolved,
                alçad el rostro, aprended
                ánimo del compañero.

2027   Véase v. n. 131 y 2444.

	El que riñó sin temer,	2045
	¿teme sin reñir agora?	
DUQUE.	En vano os cansáis, señora;	
	que es mudo.	
CELIA.	Bien puede ser.	

(Ap.) Mas yo don Juan de Mendoça
pienso que es... El es: ¿qué dudo?   2050
El triste se finge mudo
por no perder lo que goza
    mientras encubierto está.—
¿Quién dirá[s], señora, que es
el callado? [*Ap. a ella.*]

ANA.   Dilo pues.   2055
CELIA.   ¿Quién piensas tú que será?
ANA.   No lo sé.
CELIA.   ¿Quién puede ser
quien, siendo gran cavallero,
quisiesse ser tu cochero
sólo por poderte ver?   2060
    ¿Quién el que, con tal valor
en un lance tan estrecho,
pusiesse a la espada el pecho
por asegurar tu honor?
    ¿Quién el que en penar se goza   2065
por tu amor, y tu desdén
sigue enamorado? ¿Quién
sino don Juan de Mendoça?

ANA.   Bien dizes: sólo él haría
finezas tan estremadas.   2070
CELIA.   Bien merecen ser premiadas.
ANA.   Que no las pierde, confía.—
DUQUE.   El sol sale, porque vos
—que sol al mundo avéis sido
en tanto que él ha dormido—   2075
reposéis agora. Adiós,

y, assí los cielos, que os dan
belleza, os den larga vida,
que no os inquiete la herida
de don Mendo de Guzmán. *(Vase.)* 2080

ANA.   Tras la ofensa que ha intentado,
no hay por qué inquietarme pueda;
que ni aun la ceniza queda
en mí del amor passado.—
Detén a don Juan, que quiero 2085
hablalle.

CELIA.   A servirte voy

ANA.   Y mientras con él estoy,
entretén al compañero.

CELIA.   [A DON JUAN, *que se retiraba siguien-*
do al DUQUE.]
Señor cochero fingido,
mi dueño os llama: esperad. 2090

JUAN.   ¡Un!...

CELIA.   No hay *un:* bolved y hablad,
que ya os hemos conocido. *(Vase.)*

[ESCENA II]

[DOÑA ANA y DON JUAN.]

JUAN.   Esso devo a mi ventura.

ANA.   ¿Qué es esto, don Juan?

JUAN.   Amor.

ANA.   Locura, dirás mejor. 2095

JUAN.   ¿Quándo amor no fué locura?

ANA.   Sí; mas los fines ignoro
destos disfrazes que veo.

_____

2091 Hartzenbusch pone: *Hum,* el ruido del mundo.

JUAN.

Assí miro a quien deseo;
assí sirvo a quien adoro.   2100

ANA.

No; traidoras intenciones
encubren estos disfrazes.

JUAN.

Falsas conjeturas hazes
por negar obligaciones.

ANA.

El provarte lo que digo,   2105
no es difícil.

JUAN.

Ya lo espero.

ANA.

¿Quién es esse cavallero
y a qué fin viene contigo?
Traer quien me diga amores,
y escuchallos escondido,   2110
¿podrás dezir que no ha sido
con pensamientos traidores?

JUAN.

¡Quán lejos del blanco das!
Que, si traidores los llamas,
la mayor fineza infamas   2115
que ha hecho el amor jamás.

ANA.

Dila, pues; que a agradecella,
si no a pagalla, me obligo.

JUAN.

Por obedecer la digo,
no por obligar con ella.   2120
Como mi mucha afición
y poco merecimiento
engendró en mi pensamiento
justa desesperación,
vino amor a dar un medio   2125
en desventura tan fiera,
que a mi mal consuelo fuera,
ya que no fuera remedio;
y fué que te alcance quien
te merezca: tu bien quiero;   2130
que el efecto verdadero
es éste de querer bien.

A este fin tus partes bellas
al duque Urbino conté,
si contar possible fué   2135
en el cielo las estrellas.

Él, de tu fama movido,
de tu recato obligado,
este disfraz ha ordenado,
con que te ha visto y oído.   2140

Y oxalá que, conociendo
tu sugeto soberano,
dé, con pretender tu mano,
efecto a lo que pretendo;

que yo, con verte en estado   2145
igual al merecimiento,
al fin quedaré contento,
ya que no quede pagado.

Esta ha sido mi intención;
y si escuchava escondido,   2150
fué porque el ser conocido
no estorvasse la invención.

Que juzgues agora quiero
si he merecido o pecado,
pues de puro enamorado   2155
vengo [a] servir de tercero.

ANA.   Tu voluntad agradezco,
pero condeno tu engaño;
que presumes, por mi daño,
más de mí que yo merezco.   2160

Porque no es a la excelencia
del Duque igual mi valor;
que no engaña el propio amor
donde ay tanta diferencia.

Fué mi padre un cavallero   2165

ilustre; mas yo imagino
que pensara honrarle Urbino
si lo hiziera su escudero.

Y, assí, a tan locos intentos
tus lisonjas no me incitan;   2170
que afrentosos precipitan
los sobervios pensamientos.

JUAN.   Mucho, señora, te ofendes,
porque, sin tu calidad,
digna es por sí tu beldad   2175
de más bien que en esto emprendes.

No te merece gozar
el Duque, ni el Rey, ni...

ANA.   Tente:
la fiebre de amor ardiente
te obliga a desatinar.   2180

Tu amoroso pensamiento
encarece mi valor:
¡diérasle al Duque tu amor,
que yo le diera tu intento!

JUAN.   ¿Quién podrá quererte menos   2185
en viendo tu perfección?

ANA.   Al fin, por tu coraçón
quieres juzgar los agenos;

y es engaño conocido
que, si el tuyo por mí muere,   2190
no con una flecha yere
todos los pechos Cupido.

Y aunque el Duque tenga amor,
galán querrá ser, don Juan:
y honra más que un rey galán,   2195
un marido labrador.

Y aunque en el Duque es forçosa
la ventaja que le doy,

	grande para dama soy,	
	si pequeña para esposa.	2200
JUAN.	Nadie con tal pensamiento	
	ofende tu calidad.	
ANA.	De mi consejo, dexad	
	de terciar en esse intento;	
	porque mayor esperança	2205
	puede, al fin, tener de mí	
	quien pretende para sí,	
	que quien para otro alcança. *(Vase.)*	

[ESCENA III]

[DON JUAN.]

JUAN.	¿Possible es que tal favor	
	merecieron mis oídos?	2210
	¡Dichosos males sufridos!	
	¡Dulces vitorias de amor!	
	"Que tendrá más esperança	
	—dixo, si bien lo entendí—	
	quien pretende para sí,	2215
	que quien para otro alcança."	
	Que la pretenda mi amor	
	me aconseja claramente;	
	y la muger que consiente	
	ser amada, haze favor.	2220

2200   *Los pechos privilegiados*, I, 7, v. n. 49-50:

"Que si con tal sangre y fama
para esposa me juzgó
pequeña, me tengo yo
por grande para su dama."

(Rivad., XX, 417 c.)

[ESCENA IV]

(*Sale* BELTRÁN.—[DON JUAN.])

BELTRÁN.	Mira que el Duque te espera
	y no el padre de Faetón,
	que a publicar tu invención
	apressura su carrera.
JUAN.	En cas de mi amada bella 2225
	son los años puntos breves.
BELTRÁN.	En la taberna no beves,
	pero te huelgas en ella.
JUAN.	Bien lo entiendes.
BELTRÁN.	Alegría
	vierten tus ojos, señor. 2230
JUAN.	Hazen fiestas a un favor.
BELTRÁN.	Mucho alcança la porfía.

[ESCENA V]

(*Sale* CELIA.—DON JUAN *y* BELTRÁN.)

JUAN.	Celia amiga, Dios te guarde.
CELIA.	Y te dé el bien que deseas.

2222   El sol no te espera.

2225   Véase *Gramática de la Lengua Castellana destinada al uso de los americanos*, por don Andrés Bello, con notas de Rufino José Cuervo (París, 1907), pág. 230, n., sobre la apócope *cas* por *casa*, que aún se usa en la lengua popular de América. Véase también R. J. Cuervo, *Apuntaciones críticas al lenguaje bogotano* (París, 1907), pág. 332, donde trae ejemplos de Castillejo y Tirso.

Añádanse: Quevedo, *Carta de la Perola a Lampuga:*

"En *cas* del padre nos fuimos…"

y *Respuesta:*

"… en San Lúcar fuí huésped
en *cas* de su Magestad".

JUAN.	Como de mi parte seas,	2235
	no ay ventura que no aguarde.	
CELIA.	Si en mi mano huviera sido,	
	tu dicha fuera la mía;	
	mas, don Juan, sirve y porfía,	
	que no va tu amor perdido.	2240

(*Vase* Don Juan.)

[ESCENA VI]

[Celia *y* Beltrán.]

BELTRÁN.	Y a mí ¿me aprovecharía
	el servir como a mi amo?
CELIA.	Pues ¿amas también?
BELTRÁN.	Yo amo
	por sólo hazer compañía.

[ESCENA VII]

(*Sale* Doña Ana.—[Dichos.])

ANA.	[*Ap.*] Celia está con el criado	2245
	de don Juan, y no sossiego	
	hasta hablalle; ya está el fuego	
	en mi pecho declarado.—	
CELIA.	[*Ap. a* Beltrán.]	
	Mi señora.	
BELTRÁN.	Voyme.—	
ANA.	Hidalgo,	
	bolved. ¿Quién sois?	
BELTRÁN.	Soy Beltrán,	2250
	un criado de don Juan	
	de Mendoça.	

ANA. ¿Queréis algo?

BELTRÁN. Servirte sólo quisiera.
Aquí a Celia le dezía
que amo por compañía. 2255

ANA. No es conclusión verdadera.
¿Satirizas?

BELTRÁN. No conviene;
que esso puede sólo hazer
quien no tiene qué perder
o qué le digan no tiene. 2260
Pero yo, ¿cómo querías
que predique sin ser santo?
¿Qué faltas diré, si ay tanto
que remediar en las mías?

ANA. Tu gusto desacreditas 2265
con essa cuerda intención,
porque a la conversación
la mejor salsa le quitas.

BELTRÁN. Si ella es salsa, es muy costosa,
señora; que, bien mirado, 2270
ni ay más inútil pecado,
ni falta más peligrosa.
Después que uno ha dicho mal,
¿saca de hazerlo algún bien?
Los que le escuchan más bien, 2275
essos lo quieren más mal.
Que cada qual entre sí
dize, oyendo al maldiciente:
"Éste, quando yo me ausente,
lo mismo dirá de mí." 2280
Pues si aquél de quien murmura
lo sabe, que es fácil cosa,
¿qué mesa tiene gustosa?
¿qué cama tiene segura?
Viciosos ay de mil modos 2285

que no aborrecen la gente,
y sólo del maldiciente
huyen con cuidado todos.

    Del malo más pertinaz
lastima la desventura;   2290
solamente al que murmura
lleva el diablo en haz y en paz.

    En la corte ay un señor,
que muchas vezes oí...
    [Ap.] Esto encaxa bien aquí   2295
para quitarle el amor—
    que está malquisto de modo,
por vicioso en murmurar,
que si lo vieran quemar
diera leña el pueblo todo.   2300
    ¿No conoces a don Mendo
de Guzmán?

ANA.
              Beltrán, detente:
el vicio del maldiciente
has estado maldiciendo,

2286   El sujeto de esta frase puede ser "viciosos", y entonces el verbo en plural nada tiene de anómalo; pero el parale-
lismo con la frase siguiente indica que aquí el sujeto es "gente", y entonces tenemos un verbo plural para un sujeto singu-
lar. "Esta irregularidad se encuentra cuando el sujeto es un
colectivo", explica F. Hanssen en su *Gramát. Hist. de la
Leng. Cast.* (1913), n. 484; "el castellano antiguo procede con
mucha libertad". Pero después añade esta regla, de que el caso
actual es excepción: "Con '*gente*', 'número', 'multitud', 'infi-
dad', 'pueblo', no se combina el plural del verbo en la misma proposición, pero se halla en proposiciones dependientes."
Bien es cierto que en el caso del v. n. 2286 parece haber obra-
do también la tendencia a concordar con el predicado "viciosos", muy propia de la lengua. Véase Hanssen, n. 487.

2292   Véase Covarrubias, *Tesoro*, 1611, fol. 463 v: "En haz
y en paz de todos se fué desta tierra Fulano: como si dixera,
con gusto de todos, que lo vieron y lo consintieron."

| | ¿y con tal desenvoltura | 2305 |
| | de don Mendo has murmurado? |

BELTRÁN.   Pienso que es exceptuado
            murmurar del que murmura.
            Dizen que el que hurta al ladrón
            gana perdones, señora.   2310

ANA.   Dizen mal. Vete en buen hora.

BELTRÁN.   Da a mi ignorancia perdón
            si acaso te ha disgustado.
            [*Ap.*] Mal dissimula quien ama.—

[E S C E N A   V I I I]

[DOÑA ANA *y* CELIA.]

CELIA.   Apagado se ha la llama,   2315
            mas mucha brasa ha quedado.
            Pues su ofensa te ofendió,
            sin duda que en tu memoria
            ha borrado amor la historia
            que esta noche te passó.   2320

ANA.   Celia, ten: cierra los labios;
            mira que mi honor ofendes,
            quando de mi pecho entiendes
            que olvida assí sus agravios.

2308 Alarcón, *El semejante a sí mismo*, III, 6 (Rivadeneyra, XX, pág. 76 *c*) :

> "Es parlar sin murmurar
> lo que beber sin luquete",

dice el gracioso.

Ambos pasajes tienen alguna semejanza entre sí.

2310 Cien años ha de perdón.

2314 *Los favores del mundo*, I, 7:
"HERNANDO. Mal disimula quien ama".

No los males he olvidado   2325
que ha dicho de mí don Mendo;
la infame hazaña estoy viendo
que oy en el campo ha intentado,
    en que claramente veo,
pues tan poco me estimava,   2330
que engañoso procurava
sólo cumplir su deseo:
    con que ya en mi pensamiento
no sólo el fuego apagué,
pero quanto el amor fué   2335
es el aborrecimiento.
    Mas esto no da licencia
para que un baxo criado,
de hombre tan calificado
hable mal en mi presencia;   2340
    que no por la enemistad
que entre dos nobles empieza,
pierden ellos la nobleza,
ni el villano la humildad.
    Esto, Celia, me ha obligado   2345
a indignarme con Beltrán;
que no porque ya don Juan
no esté solo en mi cuidado.

CELIA.   ¿Al fin su fe te ha vencido?
ANA.   Con lo que anoche passó,   2350
quanto don Mendo baxó,
él en mi rueda ha subido.

CELIA.   ¿Declarástele tu amor?
ANA.   ¿Tan liviana me has hallado?
¿No basta averle mostrado   2355
resplandores de favor?

2330   En la princeps, *tampoco*.

CELIA.   ¡Liviana dizes, después
              de dos años que por ti
              ha andado fuera de sí!
              Bien parece que no ves   2360
                lo que en las comedias hazen
              las infantas de León.
ANA.   ¿Cómo?
CELIA.   Con tal condición
              o con tal desdicha nacen,
                que, en viendo un hombre, al momento   2365
              le ruegan y mudan trage,
              y, sirviéndole de page,
              van con las piernas al viento.
                Pues tú, que obligada estás
              de tanto tiempo y fe tanta   2370
              (si bien señora, no infanta),
              honestamente podrás
                dezirle tu voluntad
              con prevenciones discretas,
              sin temer que a los poetas   2375
              les parezca impropiedad.
ANA.   ¿Poco a poco no es mejor?
CELIA.   ¿Tú quiéreslo?
ANA.   Celia, sí.
CELIA.   ¿Sabes que él muere por ti?
ANA.   Bien cierta estoy de su amor.   2380
CELIA.   Pues quando de essa verdad
              ay certidumbre, yo hallo

2368 En el prólogo he hablado de esta alusión a Lope:
Los donaires de Matico, primera parte (1604), donde Matico
el rústico es Juana, infanta de León, disfrazada para seguir
a su amante, el hijo del Rey de Navarra, que la ha abando-
nado. Compárese este pasaje de *Las paredes oyen* con *Quién
engaña más a quién*, II, 6, v. n. 87-88.

más crueldad en dilatallo
que en dezillo liviandad;
   que el tiempo sirve de dar   2385
del amor información,
y es necia la dilación
si no queda qué probar.

ANA.   El sugetarme es forçoso,
Celia, a tu agudeza estraña.   2390

CELIA.   Es verdad que es poca hazaña
persuadir a un deseoso.   *(Vanse.)*

[*Sala en casa de* DON MENDO, *en Madrid.*]

[ESCENA IX]

(*Sale* DON MENDO, *con vanda, sin espada, y el* CONDE.)

MENDO.   "Mis cocheros me han vendido"
dixo mi enemiga apenas,
quando en espadas y dagas   239.
truenan açotes y riendas;
y como animosos, mudos,
indicio de su fiereza
(que da el valor a los pechos
lo que les quita a las lenguas),   240.
embistieron dos a dos
con tal ímpetu y violencia,
que pensé, viendo el excesso
de su valor y sus fuerzas,
que, transformado en cochero   240.
Jove por mi ingrata bella,
vibrava rayos ardientes
para vengar sus ofensas.
Porque sus valientes golpes

eran tantos, que no suenan   2410
en la fragua de Vulcano
los martillos tan apriessa.
Al fin, primo (que a vos solo
puedo confesar mi afrenta),
la espada de un hombre humilde   2415
pudo herirme en la cabeza;
y tanta sangre corría,
con ser la herida pequeña,
que, cegándome los ojos,
puso fin a la pendencia.   2420
Bolví a curarme a Alcalá,
que estava a cuarto de legua,
más con rabia de la causa,
que del efecto con pena.
Esto ha podido en doña Ana   2425
una mal fundada quexa,
y éste es el premio que traigo
de celebrarla en las fiestas.

CONDE.   ¡Ay sucesso más extraño!
            ¿Y avéis sabido quién eran   2430
            cocheros tan valeros[os]?

MENDO.   Como se va con cautela
            procurando, por mi honor,
            que el sucesso no se sepa,
            no es averiguarlo fácil;   2435
            mas yo tengo una sospecha:
            que siempre estas viudas moças,
            hipócritas y santeras,
            tienen galanes humildes
            para que nadie lo entienda.   2440
            Tal valor en un cochero
            los zelos no más lo engendran;
            que nunca assí por leales

los hombres baxos se arriesgan.
Esto se viene rodado;   2445
que si no, no lo dixera;
que ya sabéis que no suelo
meterme en vidas agenas.

CONDE.   [*Ap.*] ¡Assí tengas la salud!—
No vengo en essa sospecha.   2450
El enojo os precipita
contra tan honradas prendas;
y no es justo hablar assí
de quien puede ser que sea
vuestra esposa.

MENDO.   Yo he perdido   2455
la esperança y la paciencia.

CONDE.   ¿Tan presto?

MENDO.   Bolverme quiero
a mi constante Lucrecia.

CONDE.   [*Ap.*] ¡Malas nuevas te dé Dios!
Indicios dais de flaqueza.   2460
Si doña Ana está engañada,
procurad satisfazerla.

MENDO.   Niega a mi voz los oídos.

CONDE.   Entrad y habladla con fuerça;
porque quien el dueño ha sido,   2465
siempre tiene essa licencia,
mientras no se satisfaze
de que es la mudança cierta.
Quiçá enojada os castiga,
y no os despide resuelta.   2470
O dezid vuestras disculpas
en un papel.

2444   Véase v. n. 131 y 2027.
2459   *Los favores del mundo*, I, 7:
          "ANARDA.   Malas nuevas te dé Dios."

MENDO.   Yo lo hiziera,
si huviera de recebillo.
CONDE.   Yo me obligo a que lo lea.
MENDO.   ¿Cómo?
CONDE.   Dámele; que yo   2475
lo pondré en sus manos mesmas.
MENDO.   Al punto voy a escrivir.   *(Vanse.)*

[ESCENA X]

[*El* CONDE.]

CONDE.   *(Ap.)* Y yo a pedir a Lucrecia
que me cumpla su palabra,
pues ha visto sus ofensas;   2480
que, pues con doña Ana vino
de Alcalá en un coche, es fuerça
que viera lo que has contado,
y su desengaño viera.
Y este papel ha de ver,   2485
para que negar no pueda;
que modo avrá de escusarme
quando don Mendo lo sepa.
Y consiga yo mi intento,
suceda lo que suceda;   2490
que no mira inconvenientes
el que ciega amor de veras.   *(Vase.)*

[*Sala en casa del* DUQUE, *en Madrid*]

[ESCENA XI]

[*Salen* DON JUAN *y* BELTRÁN.]

BELTRÁN.   Qué ¿llegó el tiempo?

JUAN.   Llegó
el fin de las ansias mías.

BELTRÁN.   ¡Gracias a Dios que en mis días   249
un milagro sucedió!
    ¿Que a doña Ana le das pena?
¿Que olvida al Guzmán Narciso?
Este es el tiempo que quiso
ver el Marqués de Villena.   250
    Es verdad que de cada año
lo mismo dezir he oído;
pero viene aquí nacido
con sucesso tan estraño.

2500 Don Enrique de Aragón, o de Villena (1384-1434), a quien suele llamarse impropiamente marqués de Villena, personaje extravagante y autor de libros en prosa latinada y difícil: *Arte de trobar, Arte cisoria, Libro de Aojamiento, Tratado de la Consolación, Libro de la guerra*, etc. Tuvo fama de nigromántico, y sus obras fueron quemadas. En torno a su vida se creó una leyenda, según la cual, a su muerte, "dispuso que le picasen y convirtiesen en jigote" y le encerrasen en una redoma de vidrio, en donde sólo saldrá el año en que el mal desaparezca del mundo. Véase Fernán Pérez de Guzmán, *Generaciones y semblanzas*, XXVIII; Quevedo, *Visita de los chistes* (Rivad., XXIII, 339), íd., *El Mundo por de dentro* (ídem, pág. 330) : Rojas, *Lo que quería ver el Marqués de Villena;* y también *Las cuevas de Salamanca*, del mismo Alarcón.—Consúltese sobre esta leyenda a S. M. Waxman, *Chapters on Magic in Spanish Literature*, cap. III: "Enrique de Villena, the magician" (*Revue Hispanique*, 1916, XXXVIII, págs. 387-438).

¿ Que te quiere bien?

JUAN.   Sin duda: 2505
ya lo dixo claramente,
y un ángel, Beltrán, no miente.

BELTRÁN.   Todo en efeto se muda,
pues algún tiempo, averiguo
que fué ya la calva hermosa.   2510
Jamás el tiempo reposa:
¿ no dize un romance antiguo:
"Por mayo era, por mayo;
quando los grandes calores,
quando los enamoradores   2515
a sus damas llevan flores?"
Pues ¿ves? aquí se ha pasado
a setiembre ya el calor.
Pero sospecho, señor,
que tú también te has mudado.   2520
¿ De qué tal melancolía
te ha cargado en un instante?
Tahur parece el amante,
pues no dura su alegría.
Pero advierto que es flaqueza.   2525

JUAN.   Déxame con mi aflicción.

BELTRÁN.   ¿ Ello importa a la invención,
señor? Pues va de tristeza.

JUAN.   Beltrán, la mudança mía
en mudarse toda está;   2530
que también se mudará
la causa de mi alegría.

2513 Véase Durán, *Romance general*, II (Rivad., XVI,
pág. 449 *b*).

2528 Véase Alarcón, *La prueba de las promesas*, III (Rivadeneyra, XX, 444 *c*):

"Harélo, pues, si supiere.
Va de encanto..."

> Que adora assí su beldad
> el duque Urbino, que creo
> que, por lograr su deseo,   2535
> perderá la libertad.

BELTRÁN.   ¿Que se case temes?

JUAN.   Sí.

BELTRÁN.   Pues si tu querida alcança
> de vista aquessa esperança,
> bien pueden doblar por ti;   2540
> que por llamarse Excelencia,
> ¿qué no hará una muger?

JUAN.   Esso me obliga a perder
> la esperança y la paciencia.

BELTRÁN.   Pues al remedio, señor.   2544

JUAN.   Dilo tú, si alguno ves.

BELTRÁN.   Si él ama assí, no lo es
> el declaralle tu amor.
>
> Mas, pues que tu amada bella
> contigo está declarada,   2550
> antes que él la persuada
> cásate, señor, con ella.

JUAN.   ¿Cómo la podré obligar
> tan brevemente?

BELTRÁN.   Fingiendo
> que la herida de don Mendo   2555
> se ha sabido en el lugar,
> y con esto el vulgo toca
> en la opinión de doña Ana;
> que tengo por cosa llana
> que, por taparle la boca,   2560
> si se ha de determinar
> tarde, que quiera temprano
> darte de esposa la mano.
> Con esto puedes mostrar
> un desconfiado pecho   25

                    con rezelos de su fe,
                    por que su mano te dé
                    para verte satisfecho.

                    Que pues dize claramente
                    que te quiere, y tú la quieres,   2570
                    o ha de hazer lo que quisieres,
                    o ha de confessar que miente.

JUAN.   Al jardín irá esta tarde;
                    allí la tengo de ver
                    y seguir tu parecer.   2575

BELTRÁN.   Nunca ha vencido el cobarde.
                    El Duque es éste.

[ESCENA XII]

(*Salen el* DUQUE *y* FABIO, *su criado.*—[DICHOS.])

JUAN.   ¿Señor?
DUQUE.   Don Juan amigo, yo muero...
JUAN.   ¿Cómo?
DUQUE.   En un combate fiero
                    de zelos, desdén y amor.   2580
                    Al ingrato como bello
                    ángel que adoro, escriví
                    oy un papel...
JUAN.   (*Ap.*)   ¡Ay de mí.—
DUQUE.   Y no ha querido leello.
JUAN.   (*Ap.*) El alma al cuerpo me ha buelto.—   2585
                    Pues ¿cómo tanto rigor?
DUQUE.   Nacido es de ageno amor
                    un disfavor tan resuelto.
JUAN.   Yo a ser amada atribuyo
                    el mostrarse tan ingrata.   2590
DUQUE.   Quando el efeto me mata,
                    sobre la causa no arguyo.

Lo que es cierto es que yo muero.
Vos, don Juan, me aconsejad.

JUAN.   De tan resuelta crueldad   2595
la mudança desespero.
Dexallo es mi parecer,
antes que crezca el amor.

DUQUE.   Ya no puede ser mayor.

JUAN.   Pues amar y padecer.   2600

[ESCENA XIII]

(Sale MARCELO, *criado del* DUQUE.—[DICHOS.])*

MARCELO.   ¿Puedo hablarte?
DUQUE.   Sí, Marcelo.
MARCELO.   Dame albricias.
DUQUE.   Tu tardança
me mata.
MARCELO.   Ya tu esperança
ha hallado puerta en tu cielo.
Oy va tu dueño crüel   260[...]
al jardín, y un escudero
(que esto ha podido el dinero)
quiere darte entrada en él.

DUQUE.   Abráçame.

BELTRÁN.   [*Ap.*]   ¡Qué doblones!—

DUQUE.   ¿No iréis conmigo, don Juan?   261[...]

JUAN.   Señor, los que solos van
gozan bien las ocasiones.

DUQUE.   Bien dezís. Vedme después
que se esconda el sol dorado;
sabréis lo que me ha passado.   261[...]

                    (Vase [y los dos criados con él.])

JUAN.   ¡Mal aya el vil interés,

	por quien ni honor ni opinión
	podemos assegurar!
BELTRÁN.	Lo que importa es madrugar
	y hurtalle la bendición. *(Vanse.)* 2620

[*Jardín en Madrid*]

[ESCENA XIV]

(*Salen el* CONDE *y* LUCRECIA.)

CONDE.	¿Negarás, señora mía,
	la palabra que me diste?
LUCRECIA.	Yo no la niego.
CONDE.	¿Y que viste,
	quando doña Ana venía
	de Alcalá, tu desengaño? 2625
LUCRECIA.	Esso tampoco te niego;
	mas, aunque se apagó el fuego,
	quedan reliquias del daño.
CONDE.	Pues por que arrojes del pecho
	las cenizas que han quedado, 2630
	mira el papel que me ha dado
	don Mendo, de amor deshecho,
	para aplacar el rigor
	de doña Ana de Contreras.
	Si más agravios esperas, 2635
	será baxeza y no amor.

(*Dale un papel, y lee* LUCRECIA.)

2620 "Hurtar la bendición" puede aludir al episodio bíbli-
co de Jacob, que, bajo el disfraz de Esaú, recibe de Isaac la
bendición que a éste se destinaba. (*Gén.*, XXVII.)

[LUCRECIA.] *(Papel.)* "El que sin oir condena,
             oyendo ha de condenar;
             y esto me obliga a pensar
             que es sin remedio mi pena.   264⬤
             Ya que el cielo assí lo ordena,
             dadme sólo un rato oído,
             que, si culpado lo pido,
             para más pena ha de ser:
             sino que os daña saber   264⬤
             que jamás os he ofendido."

CONDE.   ¿Conoces la letra?
LUCRECIA.   Sí.
CONDE.   ¿Ves tu engaño?
LUCRECIA.   Ya lo veo,
             Conde, y pagarte desseo
             lo que padeces por mí;   265⬤
                que, además de que premiarte
             es justo tan firme fe,
             gusto a mi padre daré,
             que es en esto de tu parte.
                Hazme gusto de esconderte   265⬤
             por el jardín: no te vea
             mi prima.
CONDE.   El alma dessea
             por gloria el obedecerte.   *(Vase.)*

[ESCENA XV]

(Salen DOÑA ANA y CELIA.—[LUCRECIA.])*

CELIA.   *[A su ama.]* ¿Que de essa manera estás?
ANA.   Después que estoy declarada,   266⬤
             quanto más resistí elada
             tanto voy ardiendo más.

¡Quién detrás deste arrayán
súbitamente lo hallara!

CELIA.   "¡Ay, Celia, y qué mala cara   2665
y mal talle de don Juan!"
¿Ves lo que en un hombre vale
el buen trato y condición?

ANA.   Tanto, que ya en mi opinión
no hay Narciso que le iguale.—   2670
Prima, ¿qué es esso que lees?

LUCRECIA.   Un villete de don Mendo,
y mostrártelo pretendo,
por si sus promessas crees.

ANA.   Ni lo escucho ni le creo: 2675
bien puedes vivir segura.

LUCRECIA.   * *(Da el papel a* DOÑA ANA, *y ella se
pone a leello.)*
¡No le dé Dios más ventura
de la que yo le desseo!
Sólo pretendo que dél
entiendas lo que te quiere.   2680
(Ap.) Haréle el mal que pudiere,
pues da ocasión el papel.—

2665-6 Véase v. n. 195-196.
* La princeps, CELIA.
2672 Lucrecia finge que el papel es para ella, aunque sabe
que es para doña Ana (v. n. 2633-4). Así lo cree doña Ana, y
así lo dice a don Juan (v. n. 2702).

[ESCENA XVI]

[Don Juan.—Dichas.]

CELIA.   *(Ap.)* Llega atrevido y dichoso.—

(Don Juan *se llega por un lado a* Doña Ana.)

JUAN.   *(Ap.)* Un papel está leyendo,
y es la letra de don Mendo.—   2685
¿Tendrá licencia un zeloso,
    a quien tu dueño has llamado,
para ver esse papel?

ANA.   Don Juan, si ha nacido dél
esse zeloso cuidado,   2690
    pide licencia primero
a mi prima y lo verás.

JUAN.   ¿Luego licencia me das
de dezille que te quiero?

ANA.   Sí; que este lance es forçoso,   2695
puesto que el alma te adora.

JUAN.   [*A* Doña Lucrecia.]
Dadme licencia, señora,
por amante o por zeloso,
para ver este papel.

LUCRECIA.   Mi gusto en doña Ana vive.   2700

ANA.   Agora sabe que escrive
don Mendo a Lucrecia en él.

JUAN.   ¿Don Mendo a Lucrecia?

ANA.   Sí:
dezirlo puede mi prima.

JUAN.   Si tanto tu gusto estima,   2705
más que esso dirá por ti;
    pero aquí el mismo papel
es bien que el testigo sea.

LUCRECIA.	Satisfazerme dessea,	
	y audiencia me pide en él.	2710

(*Toma* DON JUAN *el papel y lee.*)

[JUAN.] (*Papel.*) "El que sin oir condena,
oyendo ha de condenar,
y esto me obliga a pensar
que es sin remedio mi pena.
Ya que el cielo assí lo ordena,   2715
dadme solo un rato oído,
que, si culpado lo pido,
para más pena ha de ser;
sino que os daña saber
que jamás os he ofendido."   2720

(*Prosigue* DON JUAN.)

Doña Ana ¿qué te ha obligado
a pretenderme engañar?
¿Qué te puedo yo importar
no querido y engañado?
A ti vienen dirigidas   2725
las razones que he leído;
que sobre lo sucedido,
son palabras conocidas.

ANA.   Quando a mí venga el papel,
¿da gracias de algún favor,   2730
o quexas de mi rigor?
Luego te obligo con él.

JUAN.   Mejor modo de obligar
fuera no averlo leído,
que quien escucha ofendido,   2735
no huye de perdonar.
¿Ageno papel recibes
quando mía te has nombrado?
O poco me has estimado
o livianamente vives: 2740

de donde he ya conocido
que vivir me está más bien
desdichado en tu desdén,
que en tu favor ofendido.

Yo me iré donde jamás   2745
pueda otra vez engañarme
tu favor...

ANA.   ¿Quieres matarme,
señor?

JUAN.   Suelta.

ANA.   No te irás
sin oirme.—Prima mía,
ayúdamele a tener.   2750

JUAN.   Soltad.

LUCRECIA.   Ya es esto perder
la devida cortesía.

CELIA.   Don Mendo está en el jardín.

ANA.   ¿Don Mendo?

CELIA.   Por fuerça ha entrado.

ANA.   A coyuntura ha llegado,   2755
que daré a tus zelos fin.

Los dos tras esse arrayán
os entrad, donde escondidos,
los ojos y los oídos
satisfación os darán.   2760

JUAN.   Sola tu mano ha de ser
quien me tenga satisfecho.

ANA.   Señor eres ya del pecho:
poco te queda que hazer.

(*Escóndense tras el dosel del vestuario* DON JUAN *y* LUCRE-
CIA.—*Entra* DON MENDO.)

[ESCENA XVII]

Don Mendo.—Doña Ana; Lucrecia y Don Juan, *escondidos;* Celia, *retirada, cerca de ellos.*]

MENDO.

Ni quiero que me perdones   2765
ni bolver quiero a tu gracia;
y si tal pidiere, cierra
el oído a mis palabras.
Mis descargos solamente
quiero que escuches, doña Ana,   2770
por bolver por mi opinión,
no por culpar tu mudança.
Si al duque Urbino de ti
dixe una noche mil faltas,
fué temor de que en su pecho   2775
engendrasse amor tu fama;
porque don Juan de Mendoça
contava sus alabanças,
y a la pólvora de un moço
la menor centella basta.   2780
A tu prima le escriví
mil agravios por tu causa,
desengañando su amor
y encareciendo tus gracias:
si ella te ha dicho otra cosa,   2785
presto verás que te engaña;
que el traslado traigo aquí:
oye sus mismas palabras.

(*Lee* Don Mendo.)

(*Papel.*) "Tu sentimiento encareces
sin escuchar mis disculpas: 2790

2789   Véase v. n. 1398.

quanto sin razón me culpas,
tanto con razón padeces.
Si miras lo que mereces,
verás cómo la passión
te obliga a que, sin razón,   27С5
agravies, en tu locura,
con las dudas, la hermosura;
con los zelos, la elección.

    Lucrecia: de ti a doña Ana
ventaja ay más conocida   2800
que de la muerte a la vida,
de la noche a la mañana.
¿Quién a la hermosa Dïana
trocará por una estrella?
Dexa la injusta querella,   280i
desengaña tus enojos;
que tengo un alma y dos ojos
para escoger la más bella."

                          (*Prosigue.*)

[MENDO.]   Mira si más claramente
pude yo desengañarla: 281
si ella lo entendió al revés,
en mí no estuvo la falta.

    2812 Ovidio, *Ars Amandi*, II, aconseja al amante que se
consienta pequeñas infidelidades, con tal de que sepa disimu-
larlas, y, entre otras, le recomienda:

    "Et quoties scribes, totas prius ipse tabellas
    inspice: plus multae, quam sibi missa legunt."

    El anterior episodio parece una escenificación del consejo
de Ovidio, y conviene notar esta sutil manera de influencias
ovidianas en el teatro español, capítulo que podría desarrollar
el profesor Rudolp Schevill en sus investigaciones sobre la
materia.

Que quise en el campo usar
de fuerças, dirás. ¡Ha, ingrata!
Como a esposa lo intenté,   2815
si te ofendí como a estraña;
y delinquir en el campo
no fué mucho, si llevara
anticipado el castigo
con mil flechas en el alma.   2820
Tus quexas y mis disculpas
estas son: la furia amansa;
huya de tu hermoso cielo
la nube de tu desgracia;
que el cielo, el aire, la tierra   2825
son testigos de mis ansias:
no ay quien dude mis verdades
sino tú, que eres la causa.
Ésta es mi mano de esposo;
y con disculpa tan clara,   2830
o no niegues mi firmeza,
o confiessa tu mudança.

LUCRECIA.   [*Ap.*] Aquí se casan sin duda.—
JUAN.   [*Ap.*] Aquí sin duda se casan.—
            ¿Saldré, Celia?
CELIA.   No la enojes   2835
quando te importa obligalla.

[ESCENA XVIII]

(*Sale el* DUQUE *con* UN ESCUDERO, *y quédase escondido el*
DUQUE *a una parte del teatro tras el paño.*—[DICHOS.])

ESCUDERO.   [*Ap. al* DUQUE.]
            De aquí podéis aguardar
            a que don Mendo se vaya.

                            (*Vase.*)

ANA.   Don Mendo, yo te confiesso
                  que tu descargo es muy llano,   2840
                  y que con darme la mano
                  puede cerrarse el processo;
                      pero tu intento no tiene
                  remedio; ya me has perdido,
                  y resuelto el ofendido,   2845
                  tarde la disculpa viene.
                      Digo que fué la intención
                  con que hablaste mal de mí
                  al Duque, querer assí
                  librarme de su afición;   2850
                      mas fué público el hablar,
                  la intención oculta fué.
                  Si por lo escrito juzgué,
                  no te me puedes quexar.
                      Y agora te desengaña   2855
                  de quán malo es hablar mal,
                  pues con ser la causa tal
                  y el fin tan bueno, te daña:
                      por el mal medio condeno
                  el buen fin: todo lo igualo;   2860
                  en que verás que lo malo,
                  aun para buen fin, no es bueno.
                      Tu lengua te condenó
                  sin remedio a mi desdén.
                  A toda ley, hablar bien,   2865
                  que a nadie jamás dañó.
                      Con esto, si eres discreto,
                  mudar intento podrás.
MENDO.   ¿Resuelta en efeto estás?
ANA.   Resuelta estoy en efeto.   2870
MENDO.   Mira lo que dizes.
ANA.   Digo
                  que es vana tu prevención,

porque ésta, resolución
es, don Mendo, no castigo.

MENDO.   Ya lo que dize de ti   2875
la fama creer es justo;
que informa de tu mal gusto
el aborrecerme a mí.

    Del cochero que me hirió
se habla mal, y mal sospecho,   2830
que tal brío en baxo pecho,
de tus favores nació.

ANA.   Tente, no me digas más.
Yo estorvaré mis afrentas:
por donde obligarme intentas,   2885
del todo me perderás.

    El cochero que te hirió,
don Mendo, mostrarte quiero.—
Bien podéis salir, cochero.

[ESCENA XIX]

*(Salen al teatro, y todos empuñan las espadas. [DON JUAN y
LUCRECIA por un lado, y por otro el DUQUE; después, BEL-
TRÁN y el CONDE.—DOÑA ANA, DON MENDO, CELIA.])*

JUAN.   Yo soy el cochero.
DUQUE.   Y yo.   2890
ANA.   Cavalleros, detenéos;
que a mí esse daño me hazéis.

DUQUE.   Basta que vos lo mandéis.
JUAN.   Serviros son mis deseos.
ANA.   Estos los cocheros son   2895
por quien mi opinión se infama;
y por quitar a la fama
de mi afrenta la ocasión,

le doy la mano de esposa
a don Juan.

(Danse las manos.)

JUAN.   Y yo os la doy.   290

CELIA.   ¡Buena Pascua!

BELTRÁN.   ¡Loco estoy!

(Empuña el DUQUE *contra* DON JUAN.*)*

DUQUE.   Vuestra amistad engañosa
castigaré.

JUAN.   Detenéos;
que yo nunca os engañé.
Recato y no engaño fué   290
encubriros mis deseos;
    que, si os queréis acordar,
sólo os tercié para vella,
y, en empeçando a querella,
os dexé de acompañar.   291

ANA.   Y en fin, si bien lo miráis,
el dueño fuí de mi mano;
y sobre mi gusto, en vano
sin mi gusto disputáis.

    A don Juan la mano di,   291
porque me obligó diziendo
bien de mí, lo que don Mendo
perdió hablando mal de mí.

    Este es mi gusto, si bien
misterio del cielo ha sido,   295
con que mostrar ha querido
quánto vale el hablar bien.

MENDO.   Antes sospecho que fué
pena del loco rigor,
con que, por ti, el firme amor   295
de tu prima desprecié.

    Mas con llorar mi mudança

	y gozar su mano bella,	
	estorvaré su querella	
	y mi engaño y tu vengança.	2930
LUCRECIA.	¿Quién os dixo que sustenta	
	hasta agora el alma mía	
	vuestra memoria?	
BELTRÁN.	El hazía	
	sin la huéspeda la cuenta.	
LUCRECIA.	Vos hablastes, pretendiendo	2935
	a doña Ana, mal de mí.	
MENDO.	¡Yo a doña Ana mal de ti!	
LUCRECIA.	*Las paredes oyen*, Mendo.	

LUCRECIA.
Mas, puesto que en vos es tal
la imprudencia, que queréis   2940
ser mi esposo, quando avéis
hablando de mí tan mal,
yo no pienso ser tan necia
que esposa pretenda ser
de quien quiere por muger   2945
a la misma que desprecia;
y, porque con la esperança
el castigo no aliviéis,
lo que por falso perdéis,
el Conde por firme alcança.—   2950
Vuestra soy.

(*Da la mano al* CONDE.)

MENDO.	¡Todo lo pierdo!	
	¿Para qué quiero la vida?	
CONDE.	Júzgala también perdida,	
	si en hablar no eres más cuerdo.	
BELTRÁN.	Y pues este exemplo ven,	2955

2955-58 L. F. G., pág. 257, cita un manuscrito de la biblioteca del Duque de Osuna —al parecer autógrafo, según él—,

suplico a vuesas mercedes
miren que *oyen las paredes*,
y, a toda ley, hablar bien.

---

que ofrece curiosas variantes, y en que la redondilla final
dice así:

"Y, pues que los daños ven
de los necios maldicientes,
sacratísimos oyentes,
desta comedia hablad bien."

[FIN DE LA COMEDIA]

TABLA DE VARIANTES

en las ediciones de "La Verdad sospechosa",
de 1850 (H.), de la Biblioteca Rivadeneyra (R.)
y de Ed. Barry (B.)

Número del verso	Ediciones	Lecturas
3	H. R. B.	¿Cómo *vienes?*
24	H. R. B.	Bueno, contento *y* honrado.
30	B.	Siempre él, señor licenciado.
44	H. R. B.	Plaza en *el* Consejo Real
50	H. R. B.	se ha podido poner *ya,*
79	H. R. B.	mi hijo mayor, con que *en* él.
163	R. B.	Junto con que *es ya* mayor.
241	B.	Con un cuello *acanalado.*
280	H. R. B.	*ajar.*
385	H. R. B.	*Eso* d. c. d. s.
607	R. B.	de que habláis? en qué...?
728	R. B.	*cazoletas.*
954	R. B.	que *ya es* forzoso.
1168	H. R. B.	en *el* habla.
1288	H. R. B.	*a ver* enmendado.
1442	H. R. B.	*pensáis.*
1561	H. R. B.	rondé su *calle.*
1816	H. R. B.	*Pensad.*
1919	R. B.	*consejas.*

Número del verso	Ediciones	Lecturas
2083	R. B.	que soy *Mendoza.*
2416	R. B.	*cosa cierta.*
2613	R. B.	*de* Madrid.
2792	B.	A quien cortaron a *cercén.*
2823	H. R. B.	*Gocéis.*
2899	R. B.	yo *mismo lo vi.*
2978	R. B.	Este fresco en mi edad *es* demasiado.
3010	H. R.	La v. m. oculta: *en* s. p.
3010	B.	La v. m. oculta. *En* s. p.
3019	R. B.	*podéis.*

APÉNDICES

I

A.—Partida de matrimonio de los padres de Alarcón; México, domingo 9 de marzo de 1572; *Libro I de Matrimonios de Españoles* (1568-1574), fol. 59, 1.ª partida; Arch. parroquial del Sagrario en la Catedral de México.

E. COTARELO, *Los padres del autor dramático don Juan Ruiz de Alarcón (Bol de la R. Academia Española,* II, 9, pág. 525). Copia hallada entre los papeles de L. Fernández-Guerra.

N. RANGEL, *Investigaciones bibliográficas. Noticias biográficas del dramaturgo mexicano don Juan Ruiz de Alarcón y Mendoza. Nuevos datos y rectificaciones.* (Conclusión.) *Bol. de la Biblioteca Nac. de México,* XI, 2 de diciembre de 1915, pág. 63) (1). Copia comunicada por L. González Obregón.

B.—Matrícula de Artes en la Univ. de Méx.; 19 de octubre de 1592: *Lib. de Matric. de Artes* (1580-1600).

RANGEL, *Investig. bibliogr. Los estudios universit. de D. J. R. de A. y M. (Bol. de la Biblioteca Nac.* de México, X, 1 y 2, 1913, pág. 4) (2).

_____

(1) En adelante designaremos este artículo así: Rangel, III.
(2) En adelante, Rangel, I.

N.—Información ante la Real Audiencia de la Casa
de Contratación para la licencia de pasar a Nueva
España; Sevilla, 25 de mayo de 1607: Arch. General de Indias, 43, 6, 84/12, núm. 65.—Anexo
al doc. **Q.**

F. R. MARÍN, *ídem*, págs. 7 y 8.

O.—Poder de Alarcón a G. Frechel; Sevilla, 29 de
mayo de 1607: Arch. Prot., Of. 7.º, Libro I de
1607, fol. 1190.

F. R. MARÍN, *ídem*, págs. 7 y 8.

P.—Nombramiento de Alarcón como criado de fray
Pedro Godínez Maldonado, obispo de Nueva Cáceres en Filipinas; Sevilla, 7 de junio de 1607:
Arch. Gral. de Indias, anexo al doc. **Q.**, lo mismo
que el doc. **N.**

F. R. MARÍN, *ídem*, pág. 9.

Q.—Declaración de Alarcón para ir a Nueva España,
en las diligencias de pasaje; Sevilla, 10 de junio
de 1607: Arch. Gral. de Indias, Signatura 43, 6,
84/12, núm. 65.

F. R. MARÍN, *ídem*, pág. 9.

R.—Poder de Alarcón a M. de Herrera; Sevilla, abril
de 1608: Arch. Prot., Of. 7.º, Juan Luis de Santa
María, Libro I de 1608, fol. 1045.

F. R. MARÍN, *ídem*, pág. 15.

S.—Licencia a Alarcón para ir a Nueva España;
Sevilla, 3 de junio de 1608. (Anexo: licencia a su
secretario y criado Lorenzo de Morales, 6 de
junio de 1608): Arch. Gral. de Indias, Libros de
asientos de pasajeros de 1607 a 1608, 45, 1, 4/20,
fols. 277 y 282.

F. R. MARÍN, *ídem*, pág. 16.

T.—Expediente de licenciatura en Leyes en la Universidad de Méx., desde el 5 de febrero de 1609
hasta el 21 de febrero de 1609, en que fué im-

puesto el grado: *Grados de docts. y licencs. en Leyes desde el año de 1570 hasta el de 1698*, tomo I.

L. F.-G. Y O., *Op. cit.*, Apénd. II, págs. 514 a 522. Copia enviada en 1861 por A. Arango y Escandón a la R. Acad. de la Historia; copia mandada sacar por monseñor Labastida, arzobispo de México, a solicitud del de Burgos.

RANGEL, I, pág. 11: la importancia del grado.

U.—Acta del claustro pleno de la Universidad de México, 12 de marzo de 1609, en que se lee la petición de Alarcón sobre remisión de la pompa en el grado de doctor en Leyes que pretende. Arch. de la Univ. de Méx., *Libro de Claustros* (12 de marzo de 1609-29 de noviembre de 1621).

RANGEL, *Inv. bibl. Noticias biogr. del dramaturgo mexicano D. J. R. de A. y M. etc. (Bol. de la Bibl. Nac.* de Méx., XI, 1, noviembre de 1915, págs. 6, 7 y 8.) (1).

V.—Crónica ms. de la Univ. de Méx. por el secretario Cristóbal de la Plaza, que termina en el año de 1689. Fragmentos relativos a las cátedras a que se opuso Alarcón; Instituta y Decreto (1609), Código e Instituta (1613).

RANGEL, II, págs. 17-21.

X.—Documentos autógrafos y asientos relativos a la oposición a la cátedra de Instituta en la Univ. de Méx., mayo de 1613: Arch. de la Univ. de Méx.; libro de expedientes sobre provisión de cátedras que comienza en 1613, primer expediente, fols. 8, 10, 12, 15, 16, 17 vto., 19, 21 vto., 22 vto., 29, 50, 55, 55 vto., 58 vto. y 59.

RANGEL, II, págs. 23-24, y RANGEL, II, páginas 41-54.

---

(1) En adelante, Rangel, II.

núm. 1334: como era de esperarse, no se trata del poeta don Juan Ruiz de Alarcón y Mendoza, sino de don Juan Ruiz de Alarcón y Andrada Rivadeneyra Peñalosa y Rivadeneyra, señor de Buenache y villa de la Frontera, hijo de don Diego Ruiz de Alarcón y de doña María de Andrada y de Rivadeneyra. Deben, pues, desecharse los documentos núms. V y VI de Pérez Pastor.)

Gg.—Testamento de Alarcón; Madrid, 1.º de agosto de 1639: Protocolos de Lucas de Pozo.

J. O. PICÓN, *Hallazgo Literario (El Imparcial,* diario de Madrid, 27 de febrero de 1899, 1.ª plana de la hoja literaria de los *Lunes)*. Descubierto y copiado por C. Pérez Pastor (L. F-.G. Y O., Apénd. VIII: habíalo buscado inútilmente.)

Hh.—Partida de defunción; Madrid, 4 de agosto de 1639; Libro VIII de difuntos de la parroquia de San Sebastián de Madrid, fol. 349 vto.

HARTZENBUSCH, *Comedias de Alarcón,* ed. Rivadeneyra, XX, pág. XXX. Copia del cura de la parroquia, 16 de marzo de 1847.

L. F.-G. Y O., *ídem,* Apénd. IX.

II

TESTAMENTO DE DON JUAN RUIZ DE ALARCÓN

En 1.º agosto 1639.

Sello 4.º

Testamento de Don Juan de alarcón.

En el nombre de Dios Todopoderoso, amén.

Sepan quantos esta carta de testamento última voluntad vieren, como yo el licenciado Don Juan Ruiz de Alarcón y Mendoza, relator del Real Consejo de

Indias, vecino de la Villa de Madrid, estando enfermo en la cama de la dolencia y enfermedad que Dios se ha servido de darme, pero en mi juicio y entendimiento natural, creyendo como creo en el misterio de la Santísima Trinidad, Padre e Hijo y Espíritu Santo, tres personas y un solo Dios verdadero, tomando como tomo por mi abogada a la Reyna de los Angeles, madre de Dios, a quien suplico ruegue a su hijo perdone mis pecados y guíe mi ánima por carrera de salvación, hago mi testamento en la siguiente manera:

Primeramente encomiendo mi ánima a Dios nuestro señor, que la crió y con su preciosísima sangre redimió, y el cuerpo, a la tierra, de donde fué formado.

Item mando que si la voluntad de Dios nuestro señor fuese la de me llevar de esta vida a la otra, mi cuerpo sea sepultado en la iglesia parroquial de señor San Sebastián, desta villa de Madrid, en la sepultura que a mis testamentarios pareciese, y se pague el derecho.

Item mando acompañen mi cuerpo las cruces de la parroquia con todos los clérigos que asisten en la dicha parroquia, y si fuese hora de celebrar misa se me diga una misa cantada con diácono y subdiácono, responso y vigilia de cuerpo presente, y si no fuese hora, otro día siguiente, asistiendo en ella los dichos sacerdotes, y se les dé el derecho.

Mando se haga mi novenario de misas cantadas con asistencia de los sacerdotes de la dicha parroquia, y de todo se paguen los derechos que es costumbre.

Mando se digan por mi ánima quinientas misas de alma por la mía, y de las de mis padres, y demás personas a quien tengo obligación, y se pague el derecho, y se digan en las partes que a mis albaceas pareciese, pagando la quarta parte a la parroquia, y le mando a las mandas forzosas ocho reales, con que les aparto de mis bienes.

Item mando a don García de Buedo, mi sobrino, veinte ducados en vellón y un luto de bayeta.

Item mando a Matheo Díaz, mi criado, por lo bien que me ha servido, veinticinco ducados y un luto de bayeta, que es mi voluntad. Y declaro no le debo nada de sus salarios.

Item mando a María Benita, mi criada, cien reales en moneda de vellón, fuera de lo que constase por mi libro que se le deben de sus salarios.

Y para cumplir y pagar lo contenido en este mi testamento, mandas y legados, y lo en él contenido, nombro, dexo y establezco por mis albaceas y testamentarios, a la dicha doña Magdalena de Silva y Girón, dicha mi sobrina, y al licenciado Antonio de León, relator del Consejo de Indias, y a don Gaspar de Deybar, agente de dicho Consejo, y al capitán Bartolomé Gómez de Reynoso, y a cada uno de ellos in solidum doy mi poder cumplido para que, después de yo muerto y passado desta presente vida a la otra, entren en mis bienes ansí muebles como rayces, deudas, derechos y acciones, y los vendan y rematen en pública almoneda o fuera de ella, y de su valor cumplan y paguen lo en este mi testamento contenido, y les dure el tal nombramiento todo el tiempo que sea necesario, aunque sea pasado el año del albaceazgo y otro mayor trascurso de tiempo, que ésta es mi voluntad.

Mando cinquenta reales para los pobres de la parroquia, a distribución del señor Cura que es o fuere.

Y del remanente que quedare de todos mis bienes, cumplido este mi testamento, mandas y legados y lo en él contenido, dexo y nombro por mi heredera universal a doña Lorença de Alarcón, mi hija y de doña Angela Cerbantes, que la dicha mi hixa es mujer de don Fernando Xirón, residentes en la villa de Barchín del ¡Hoyo, en la Mancha, para que vaya y here-

de los dichos mis bienes con la bendición de Dios y
la mía.

Y por este mi testamento revoco y anulo y doy por
ningunos y de ningún valor ni efecto otro qualquier
testamento o testamentos, cobdicilio o cobdicilios y testamentos cerrados que antes déste pareciere yo haber
fecho por escripto o de palabra, y poderes para testar,
que quiero que no valgan ni hagan fee en juicio ni
fuera dél, salvo este mi testamento que ahora otorgo,
que quiero que valga por tal o por cobdicilio o por
escriptura pública en aquella vía e forma que en derecho mexor lugar haya. Y le otorgué en la villa de Madrid a primero del día del mes de agosto de mil y seiscientos y treinta y nueve años, siendo presentes por
testigos Agustín de Portillo y Gregorio Sánchez y el
licenciado Sebastián de Castrexón y el licenciado don
Juan de Albarado, teniente de cura de San Sebastián
desta villa, y Pedro Gómez, vecinos y estantes en esta
corte, y el dicho otorgante, que yo el escribano doy fee
que conozco, lo firmó.—*Licenciado don Juan de Alarcón.*
Ante mí, *Lucas del Poço.*
(Protocolo de Lucas del Pozo, 1627 a 1653) (1).

III

BIBLIOGRAFÍA

Alarcón mismo publicó veinte comedias de autenti-
cidad indiscutible:

PARTE | PRIMERA DE LAS COMEDIAS DE | DON IVAN
RUIZ DE ALARCÓN Y | Mendoça, Relator del Real Con-

(1) Descubierto por C. Pérez Pastor, lo publicó J. O. Picón
en *Los Lunes de "El Imparcial"* del 27 de febrero de 1899.

IV

CRONOLOGÍA Y REPRESENTACIONES DE LAS COMEDIAS

Poco se sabe sobre esto. Hartzenbusch primero y después Fernández-Guerra pretendieron fijar esta cronología guiándose por las alusiones a sucesos contemporáneos. Pero tales alusiones no abundan en la obra de Alarcón, y es muy probable, además, que éste haya procedido por refundiciones sucesivas. Pedro Henríquez Ureña, en una sugestiva nota, propone ciertas bases o criterios que podrían ayudar al establecimiento de esta cronología: "1.º Sustitución de la moral convencional de la *comedia* por los conceptos morales propiamente alarconianos: éstos se presentan cada vez más claros y precisos. 2.º Evolución del *gracioso*, que va dejando de serlo para convertirse en criado más o menos discreto. Acaso la obra que señala el momento de transición sea *Los favores del mundo* (II, 2). 3.º Fórmulas de cortesía: acaso disminuyen a medida que está más lejos la salida de México. Son aún muy notorias en *La verdad sospechosa, Los favores del mundo* y *Ganar amigos.* 4.º Alusiones a México y a personajes procedentes del Nuevo Mundo: van desapareciendo con los años. 5.º Reminiscencias literarias: las hay tanto clásicas como contemporáneas en las comedias del primer período; luego desaparecen. Las alusiones personales sí continúan: las relativas a Lope, primero en elogio y luego en censura, son buena ayuda cronológica. 6.º Dominio de la técnica teatral: mayor, necesariamente, con los años. 7.º Procedimientos de estilo: por ejemplo, finales enumerativos de discursos, como en *La culpa busca la pena, Quien mal anda en mal acaba, La manganilla de Melilla;* más tarde desaparecen.

Dejos culteranos, de tarde en tarde; nunca desaparecen del todo... 8.º Metros: con el tiempo, paréceme que emplea cada vez menos el endecasílabo (en que nunca fué muy feliz) y menos aún los versos cortos menores de ocho sílabas. Es digno de atención el empleo del soneto en *El semejante a sí mismo*, *Mudarse por mejorarse*, *La prueba de las promesas*, *El dueño de las estrellas*, *Los favores del mundo* y *Las paredes oyen*. El soneto fué muy usado por Lope y Tirso en sus comedias... y mucho menos por el dramaturgo mexicano."

El 29 de enero de 1622, Mira de Amescua aprueba la publicación de las ocho comedias que aparecen en la "Parte primera", lo que permite asegurar que para 1621 todas ellas habían sido ya representadas. De igual modo la aprobación de 2 de abril de 1633, que autoriza la publicación de las doce nuevas comedias de la "Parte segunda", deja ver que para ese año las doce se habían representado. "Fuera de esto —dice Bonilla en su edición de *No hay mal que por bien no venga*—, lo único que con fundamento puede afirmarse es que *La verdad sospechosa* fué escrita antes de 31 de marzo de 1621, día de la muerte de Felipe III, a quien se alude en la obra; que *Algunas hazañas de... Marqués de Cañete* se publicó en 1622; que *El Anticristo* se estrenó el miércoles 14 de diciembre de 1623, según sabemos por una carta de don Luis de Góngora; que *Ganar amigos* y *El examen de maridos* fueron escritas antes de 1631 (1), fecha de su publicación, como

_____

(1) En una nota final, corrige: "Consta que *Ganar amigos* se representó a la reina Isabel de Borbón en octubre de 1621, y que *Los pechos privilegiados* estaba ya impresa en 1636 (Parte XXI de Lope)." La primera noticia procede de un apéndice del tomo XXXIV de la Bibl. "Rivadeneyra" —donde por cierto aparece muy poco documentada—, y la recoge en su libro Fernández-Guerra, dando esta vaga indicación: "Archivo del Real

*

de Lope; y que *No hay mal que por bien no venga* lo fué después de comenzado el año de 1623, pues se alude en ella a las *golillas,* introducidas a principios de dicho año. Todas las demás conjeturas son harto aventuradas."

Procuraré, a continuación, recoger algunos datos dispersos sobre las comedias de Alarcón:

Algunas hazañas de las muchas de don García Hurtado de Mendoça, Marqués de Cañete... Madrid, Diego Flamenco, año 1622, comedia que sólo corresponde a Alarcón la escena primera del acto II (y no las *dos* primeras, como dice Hartzenbusch y repite M. E. Barry), fué representada dos veces entre el 5 de octubre de 1622 y el 8 de febrero de 1623, según G. Cruzada Villaamil (*Datos inéditos* en "El Averiguador", 2.ª época, t. I, 1871, números 1 a 13). La primeza vez, la llama *Victorias del Marqués de Cañete;* la segunda, *Hazañas.* (V. A. Restori, *Piezas de títulos de comedias,* Mesina, 1903, página 104.)

Cautela contra cautela fué representada ante la reina doña Isabel de Borbón en diciembre de 1621 (Rivad., XXXIV, apéndice). Figura en la "Lista de comedias que en 1.º de marzo de 1624 eran propiedad de Roque de Figueroa y su esposa Mariana de Avendaño". (H. Merimée, *Spectacles et Comediens à Valencia, 1850-1630,* París-Toulouse, 1913.)

Examen de maridos; Pérez Pastor, en sus *Nuevos datos acerca del histrionismo español en los siglos XVI-XVII* (Madrid, 1901), págs. 225-6, cita una lista de

Palacio: *Libros de Cámara.*" Además, en nota a su edición de la comedia de Lope *Peribáñez y el Comendador Ocaña,* añade el mismo Bonilla: "Consta que *La manganilla de Melilla* era conocida ya en agosto de 1623, y que *El examen de maridos* se representaba en junio de 1628."

obras que María de Córdoba podría representar el día de Candelas de 1633, en la villa de Duganzo de Arriba, al fin de la cual figura esta comedia de Alarcón. Con el nombre de *Antes que te cases*, figura en la lista de comedias asidas en 14 de junio de 1628 a Jerónimo Amella, en Valencia.

Las paredes oyen figura en la lista de Juan Acacio y su compañía, Valencia, 13 de marzo de 1627 (V. H. Merimée, *op. cit.*).

Todo es ventura figura también en la lista de Juan Acacio, Valencia, 13 de marzo de 1627.

La verdad sospechosa figura en la lista de Roque de Figueroa y Mariana de Avendaño, 1.º de marzo de 1624 (H. Merimée, *op. cit.*)

V. también L. F.-G. Y O., *ídem*, pág. 376.

V

CATÁLOGO DE LAS OBRAS NO TEATRALES

Son de escasísimo mérito literario y todas de ocasión. El temperamento poético de Alarcón no le consentía salir de ese tono de charla, propio del teatro, sentencioso y apenas lírico por instantes. Por totalmente desechada, hacemos punto omiso de la atribución del falso *Quijote* de Avellaneda (1614), que había sostenido Adolfo de Castro.

I.—Una redondilla y cuatro décimas "consolando a una dama que está triste porque la sudan mucho las manos".

Conservada en la Carta a don Diego de Astudillo Carrillo (Rivad., XX, XXIX *a*), fueron hechas para

cipe de Inglaterra, y la serenísima María de Austria, Infanta de Castilla. Madrid.

("Mientras la admiración avara atiende.")

Rivad., t. LII, 583.—P. Pastor, II, 175.

Octavas reales hechas por encargo del Duque de Cea y que le atrajeron las décimas satíricas de que hemos publicado frases sueltas en el prólogo. En ellas se le acusa de haberse valido de la colaboración de todos sus amigos. Salas Barbadillo le dice que recurrió a Luis de Belmonte Bermúdez. Mira de Mescua, que a él le toca la mitad de lo que le pague por ellas el Duque de Cea, porque es él quien inventó "el componer de consuno". Castillo Solórzano dice que le ayudaron Belmonte, Pantaleón de Ribera, Mira de Mescua y don Diego (¿Figueroa, Muguet, Villegas?). Finalmente, en un *Comento* manuscrito de la época (Rivad., t. LII, 592) se le niega a Alarcón toda intervención en la obra, distribuyendo así sus estrofas:

Don Fernando de Lodeña	8
Don Diego de Villegas	6
El doctor Mira de Mescua	7
Don Pedro de la Barreda	5
Anastasio Pantaleón de Ribera	8
Luis de Belmonte	10
Juan Pablo Mártir Rizo	6
Antonio López de Vega	4
Manuel Ponce	4
Francisco de Francia	2
Diego Vélez de Guevara	6
Luis Vélez de Guevara	7
	73

XI.—Décima a las *Novelas amorosas* de Joseph Camerino, Madrid, 1624, fol. 6 vto. ("En vuestras novelas veo").

Censura más antigua: 13 de noviembre de 1623.

XII.—Soneto al *volcán y incendios del Vesuvio* (de 1631) para la obra *El Monte Vesuvio, aora montaña de Soma*, por el doctor don Juan de Quiñones, Madrid, 1632, fol. 13 vto. de las hs. finales ("Al Nilo, Eufrates, Ganges y Danubio").

XIII.—Soneto (epigrama XXIX, al toro que mató el rey Felipe IV en las fiestas del 13 de octubre de 1631, publicado en el *Anfiteatro de Felipe el Grande*, de don José Pellicer, Madrid, 1632, fol. 27 ("Al irlandés lebrel, al tigre hircano").

XIV.—Soneto sobre el mismo asunto, en colaboración con ocho o nueve ingenios ("Tú, señor, te imitaste en el acierto").

Bibl. Nac, Madrid, Ms. 3797, fol. 183.

Poesías manuscritas, 3.

V. *Rev. Hispanique*, 1916, XXXVI, 171-176, A. Reyes, *Ruiz de Alarcón y las fiestas de Baltasar Carlos*.

XV.—Dos décimas a don Luis Pacheco de Narváez, *Historia exemplar de las dos constantes mugeres españolas*, Madrid, 1635, fol. 7 ("Destreza ostentáis, don Luis—Con tanto valiente y diestro").

Aprobado desde el 18 de febrero de 1630.

XVI (?).—Cierta décima burlesca en que Alarcón propone un enigma alusivo a sus corcovas ("Si a vistas me llaman hoy").

Ms. de J. Díez (s. XVII), publicado en Riv., XXIV, pág. 587. Hartz. lo atribuye a Alarcón y lo supone hecho en la misma ocasión aludida en el número X. El *enigma* tiene una *respuesta* que comienza: "Según Calepino, estoy." Consiste el juego de ingenio

en dar con el verso del *enigma*, que, traducido al
latín, signifique la causa de las desgracias de Alarcón; y el verso es: "Corazón, ¿adónde voy?" "*Cor,
quo vado?*" No hay razón decisiva para atribuir al
propio Alarcón este *enigma* o décima burlesca. Por
ficción poética pudieron poner en su boca la burla;
pero él no parece haber sido afecto a bufonadas sobre la propia persona.

ÍNDICE